CASADOS E AINDA APAIXONADOS

GARY CHAPMAN
HAROLD MYRA

CASADOS E AINDA APAIXONADOS

ALEGRIAS E DESAFIOS NA SEGUNDA METADE DA VIDA

Traduzido por VANDERLEI ORTIGOZA

Copyright © 2016 por Gary Chapman e Harold Myra
Publicado originalmente por Northfield Publishing, Chicago, Illinois, EUA.

Os textos das referências bíblicas foram extraídos da *Nova Versão Internacional* (NVI), da Bíblica Inc., salvo indicação específica. Eventuais destaques nos textos bíblicos e citações em geral referem-se a grifos dos autores.

Todos os direitos reservados e protegidos pela Lei 9.610, de 19/02/1998.

É expressamente proibida a reprodução total ou parcial deste livro, por quaisquer meios (eletrônicos, mecânicos, fotográficos, gravação e outros), sem prévia autorização, por escrito, da editora.

CIP-Brasil. Catalogação na publicação
Sindicato Nacional dos Editores de Livros, RJ

C432c

Chapman, Gary
    Casados e ainda apaixonados : alegrias e desafios na segunda metade da vida / Gary Chapman, Harold Myra; tradução Vanderlei Ortigoza. — 1. ed. — São Paulo: Mundo Cristão, 2017.
    160 p. ; 21 cm.

    Tradução de: Married and still loving it: the joys and challenges of the second half
    ISBN: 978-85-433-0241-6

    1. Casamento. 2. Relação homem-mulher. 3. Vida cristã. I. Myra, Harold. II. Ortigoza, Vanderlei. III. Título.

17-41700   CDD: 306.8
                                                                                                      CDU: 392.3

Categoria: Casamento

Publicado no Brasil com todos os direitos reservados por:
Editora Mundo Cristão
Rua Antônio Carlos Tacconi, 79, São Paulo, SP, Brasil, CEP 04810-020
Telefone: (11) 2127-4147
www.mundocristao.com.br

1ª edição: agosto de 2017

Às nossas esposas, Karolyn Chapman e Jeanette Myra, com quem continuamos dividindo as alegrias e os desafios da segunda metade do casamento, e aos casais que compartilharam conosco suas histórias de resiliência, fé e amor.

Sumário

Agradecimentos   9
Introdução: O amor na "estação da melhor idade"   11

PARTE 1
1. A aventura de dizer sim à vida   19
2. Encontrando o meio-termo: a dança   33
   das diferenças
3. Crianças em crise   46

"Para mim, lar continua sendo qualquer lugar   60
onde ela estiver"
   Jerry e Dianna Jenkins

PARTE 2
4. Onde viver, o que fazer...   73
5. Sentindo prazer sexual depois de tantos anos   90
6. Viver sem ansiedade?   101

"Conhecemos um ao outro como a palma da mão"   110
   Joni e Ken Tada

Parte 3
    7. Resilientes unidos   121
    8. O adeus: encarando a perda   133
    9. Dois é melhor que um   143

"Apoiem-se no fato de que Jesus controla nosso futuro"   147
    John e Cindy Trent

Gary: Uma palavra final   155
Notas   159

Agradecimentos

Gostaria de agradecer aos casais que compartilharam conosco suas alegrias e desafios da segunda metade da vida. Suas histórias acrescentaram um toque pessoal ao livro.

Sou especialmente grato a Jerry e Dianna Jenkis, Joni e Ken Tada, e John e Cindy Trent por compartilharem sua jornada conosco.

GARY

Muito obrigado à equipe de editores da Moody por acreditar neste livro, especialmente a Zack Williamson pela sugestão do título, a John Hinkley por seu auxílio na publicação e, ainda mais, a Betsey Newenhuyse pela participação no desenvolvimento e na conceituação desta obra!

HAROLD

Introdução

O amor na "estação da melhor idade"

Difícil imaginar que, depois de quatro décadas do dia em que vestimos aquele fraque alugado cheio de babadinhos ou aquela camisa branca apertada, hoje estaríamos conversando a respeito de aposentadoria e esbanjando orgulho de (ou ainda sonhando ter) nossos netos. Difícil imaginar que toda aquela energia para pular da cama e enfrentar o mundo diminuiria tanto assim. Na verdade, há dias em que nos sentimos completamente nocauteados pelo mundo.

Apesar disso, cá estamos.

Será a segunda metade a "melhor metade"? Parece que sim. Estudos têm revelado que as pessoas se tornam mais felizes à medida que envelhecem. No entanto, queremos extrapolar essas investigações a fim de saber o seguinte: qual a *sensação* de estar casado há tantas décadas e ainda enfrentar situações difíceis na vida? Ouça o que tem a dizer uma grande amiga nossa:

> A ideia de envelhecer juntos me atingiu como uma bigorna quando meu marido e eu estávamos sentados na sala de espera

do oftalmologista em uma clínica de última geração em nossa cidade. Pessoas de toda a região se consultavam ali e pareciam mais velhos que nós, o que me dava a sensação de ser jovem. Alguns usavam andadores, outros óculos escuros. Um casal conversava animadamente, outro estava grudado na tela do celular como adolescentes. Outros dois se apoiavam literalmente um no outro para não caírem. Sentada naquela sala, comecei a questionar: "É isso o que me espera daqui a alguns anos? Como será envelhecer com meu marido?".

Como será desfrutar o casamento depois de cinco, seis décadas de vida ou mais? Sim, o período da melhor idade pode trazer mais alegria à medida que conhecemos melhor um ao outro, e talvez até mesmo estejamos em paz com a vida que levamos. O casamento, no período do "ninho vazio" (quando os filhos já não moram com os pais), pode ser um tempo de companheirismo e contentamento. Apesar disso, não podemos ignorar a realidade de nossas limitações físicas, a preocupação com a aposentadoria ou com os filhos crescidos. Também estamos sujeitos à solidão à medida que os amigos se mudam. Alguns lutam com pais sofrendo de demência, outros continuam pagando a faculdade dos filhos ou planejando o próximo estágio da carreira profissional deles. A sabedoria que provém da experiência muitas vezes parece uma confissão do quanto ainda *não* sabemos.

Mais uma vez, como isso tudo funciona?

A receita para construir um casamento robusto é conhecida: comunicação, respeito mútuo, tempo na companhia um do outro e uso de estratégias saudáveis para a solução de conflitos. Tive o privilégio (eu, Gary) de aconselhar e palestrar por muitos anos a respeito desses assuntos. Entretanto, casais amadurecidos também têm muita sabedoria e experiência para compartilhar acerca desses desafios. Portanto, além de conselhos práticos para navegar em meio à "segunda metade", também compartilharemos histórias de maridos e esposas que ainda vivenciam a realidade desse período.

Em conversas com esses casais, várias vezes deparamos com um paradoxo: alegria misturada à percepção sóbria da realidade da vida. Tivemos algumas conversas positivas e demos muitas risadas, mas também ouvimos histórias dolorosamente honestas. Esses casais nos advertiram de não minimizar a realidade, uma vez que a perda da energia e da saúde não é brincadeira.

Muito verdade! Pessoalmente, não temos nenhuma ilusão a respeito dos desafios da idade. Afinal, também avançamos um bocado na segunda metade da vida, e cada um de nós já viu a esposa enfrentar vários problemas sérios de saúde. Apesar disso, é nessa fase que muitas coisas boas podem acontecer: aprofundamento da capacidade de prestar atenção às coisas pequenas; obtenção de conhecimento mais firme e profundo do cônjuge (e de nós mesmos); sentimento de alívio por *não* precisar competir com os outros.

Isso tudo, porém, não basta para um número crescente de casais que atravessam a segunda metade do casamento. A geração pós-guerra (ou *baby boomers*) enfrenta hoje uma explosão de divórcios. Outros tantos ainda se sentem presos e infelizes no casamento. Ter um matrimônio longevo não basta. O que está acontecendo? Qual é a razão do contraste entre esses casais infelizes (ou estoicamente resignados) e aqueles que ainda andam juntinhos de mãos dadas?

As respostas, obviamente, são inúmeras. As pessoas trazem os próprios problemas para o casamento; uniões infelizes geram atrito ano após ano, produzindo cada vez mais dor e raiva; algumas vezes, a doença e outros acontecimentos graves são difíceis demais de lidar. A pergunta "É isso o casamento?" começa a martelar a mente.

Ao mesmo tempo, muitos que compartilharam suas histórias enfrentaram circunstâncias difíceis antes mesmo de se casarem. A essa altura da vida, poucos, se de fato houve alguém, conseguiram escapar das amarguras da vida. Qual a diferença, então, entre casamentos bem-sucedidos e casamentos fracassados? Três "características de um casamento longevo" se sobressaem com frequência:

Humor e aceitação. Casais cientes dos defeitos um do outro, incluindo aqueles hábitos de enlouquecer, começam a rir dessas coisas depois de tantos anos juntos. Aceitam um ao outro como são, com todas as suas imperfeições. Uma esposa comentou: "Não tenho de consertar cada falha dele para torná-lo perfeito. Ele até hoje pensa que está me ajudando quando coloca o prato sujo na pia".

Resiliência. A capacidade de superação desses maridos e esposas ficou muito clara conforme despejavam suas histórias de mágoas e tristezas. O fundamento dessa resiliência estava em seu compromisso com o casamento. O fato de enxergarem o matrimônio como um pacto lhes possibilitava permanecer firmes ao lado um do outro em meio aos altos e baixos e outras reviravoltas da vida.

Fé. Mencionada várias vezes como a âncora do compromisso deles, ela foi essencial para que navegassem em meio a crises, mágoas e conflitos de personalidade. A fé tornou possíveis os momentos de alegria.

Somos gratos a todos esses homens e mulheres (alguns nomes e detalhes pessoais foram alterados) que compartilharam suas histórias conosco. Também recebemos o relato honesto e eloquente de veteranos como Jerry e Dianna Jenkins, Joni e Ken Tada, e John e Cindy Trent. Todos eles praticam o que escreveram e se mostraram muito gentis em compartilhar sua sabedoria conosco. Somos profundamente gratos por suas contribuições.

Tendo em vista que casais de todas as idades necessitam de conselhos práticos, apresentarei (eu, Gary) algumas sugestões para melhorar o relacionamento conjugal.

Segundo o livro de Eclesiastes, "há um tempo certo para cada propósito debaixo do céu [...] tempo de guardar e tempo de jogar fora [...] Ele [Deus] fez tudo apropriado ao seu tempo" (Ec 3.1,6,11).

A fase da melhor idade é uma dádiva e um desafio. Que possamos atravessá-la com ânimo e satisfação.

Parte 1

1

A aventura de dizer sim à vida

Em Paris, uma moça entra em um café e é surpreendida pelos olhares de um rapaz... uma garota rica e um cara pobre enfrentam vários vilões... dois amantes fogem pela floresta e chegam a um despenhadeiro... Nos filmes, romance é sinônimo de aventura, perigos, descobertas, perseguições e uma nova paixão. Tudo é emocionante, espetacular e encantador! Hollywood, porém, raramente associa aventura com casamento. Bem, nós também não. Na verdade, enxergamos o casamento exatamente no sentido oposto. "Por que ela não se casa e sossega?", dizemos. Não, Hollywood de fato não associa aventura a casamento, muito menos a casamentos na fase da melhor idade — com a honrosa exceção de *O exótico hotel Marigold* (2011), filme em que Judi Dench encontra um novo amor na Índia.

A aventura, contudo, é uma questão *importante* em razão da nossa tendência à acomodação. O primeiro filme e sua continuação (2015) tiveram boa repercussão por abordarem questões comuns ao ser humano: Quem sou eu? Quem é você? O que fazer com o tempo de vida que

Deus nos concedeu? Que *outras* coisas importantes estamos perdendo?

Um grande sorriso vem ao rosto quando penso no relato de uma amiga a respeito de seu casamento:

Quanto mais envelhecemos, menos paciência temos com o inverno. Uma maneira de superar o frio é visitar amigos que moram no litoral da Flórida, onde peixes-boi, pelicanos, palmeiras e a sensação da água quente do mar banhando nossos pés são um verdadeiro bálsamo para a alma gelada.

O melhor de tudo é a alegria de encontrar amigos queridos e totalmente descontraídos como nós.

Certa noite, depois de um jantar maravilhoso, sentamos em frente à televisão para assistir a uma partida de basquete. Todos, incluindo dois cães labradores, estavam largados pela sala. Que vida boa!

A próxima coisa de que me lembro é abrir os olhos, ainda pesados de sono. Havia cochilado e nem me dei conta. A televisão agora exibia um programa de entrevista de fim de noite. Olhei ao redor e todos estavam apagados: um marido esticado no sofá, o outro dormindo sentado mesmo, a outra esposa cochilando toda encolhida e ambos os cachorros espalhados no tapete e roncando.

Amei toda aquela cena de fragilidade! Quando imaginei que meus amigos me veriam dormindo? Fiquei contente que meu marido e eu não fomos os únicos a cochilar de boca aberta em frente à televisão. Estava tão confortável e aconchegante ali...

"Novas reviravoltas e inúmeras surpresas"

Conforto e aconchego são coisas muito boas; porém, o que acontece quando as temos em *demasia*? Em que momento é necessário que nos levantemos e realizemos algumas mudanças?

Em sua obra *The Adventure of Living* [A aventura da vida], o psiquiatra Paul Tournier relata jamais ter encontrado realização na vida exceto vivendo em espírito de aventura. Para ele, isso se aplica especificamente a todos os períodos do casamento: "O sucesso do casamento está em considerá-lo uma aventura, com todos os benefícios e dificuldades envolvidos em uma aventura compartilhada com outra pessoa".

Dependendo da personalidade, "aventura" pode significar muitas coisas. Para pessoas apegadas à rotina, pode significar um caminho diferente para ir ao supermercado. Casais de longa data, porém, obterão muitas vantagens ao acrescentar coisas *novas* ao casamento: ideias novas, conversações novas e pessoas novas para conhecer. Mudanças e novidades, ainda que poucas, estimulam o cérebro a trabalhar melhor, inclusive criando novas conexões sinápticas. Assim, fazem bem para o casamento e também para a saúde.

Contudo, novidade não é necessariamente a mesma coisa que inovação. Há casais que passaram a se dedicar, ao final da vida, a uma busca vazia pelo prazer. Por outro lado, não queremos permanecer presos a uma rotina confortável. Tournier, psiquiatra que considerava ser necessário que buscássemos aventuras novas e nelas encontrássemos propósito enquanto "esperamos em Deus por um novo começo", criou a seguinte receita para o casamento: "A entrega da vida é uma aventura, pois significa sempre estar alerta para ouvir a voz de Deus e de seus anjos! É um enigma cativante, uma busca emocionante por sinais enviados por Deus".

Tournier descreve a aventura da fé como "emocionante, difícil e exigente, mas repleta de poesia, novas descobertas e reviravoltas, além de inúmeras surpresas. Dizer sim a Deus é dizer sim à vida. O casamento pode se transformar novamente em aventura, ainda que tenha se tornado mero arranjo ou hábito ou até caído no marasmo".[1]

Menos espaço, mais margens

Muitos casais na fase do ninho vazio se questionam se deveriam vender a casa, agora grande demais, e comprar um chalé nas montanhas ou um apartamento pequeno em um lugar com mais conveniências na vizinhança. Há inúmeros artigos falando a respeito dos "melhores lugares para se aposentar", e muitas vezes cogitamos viver, por exemplo, numa casa de campo no interior. Paul e Becky, entretanto, fizeram mais que cogitar.

Esse casal se mudou recentemente de uma região de chácaras de classe média alta para um condomínio na cidade com vista para um lago belíssimo. Paul trocou a viagem de duas horas de carro até o trabalho por um trajeto de doze minutos de ônibus. Pela manhã, o sol inunda o quarto deles enquanto reflete raios brilhantes sobre o lago (embora Paul tenha comentado que o quarto "parece chegar aos 50°C pela manhã se a veneziana estiver aberta"). Andam bastante pela vizinhança, conversam na rua com os novos vizinhos, participam de uma nova igreja (frequentada por muitos jovens) e, de modo geral, sentem-se mais descontraídos.

Para Paul e Becky, a mudança para a cidade se pareceu muito com um retorno ao lar, pois haviam começado a vida de casados na cidade e prometido que algum dia retornariam ao centro urbano.

Porém, decidiram primeiro criar os filhos em um local mais tranquilo. "Paul sacrificou sua vida pela família", comentou Becky. "Quando vínhamos à cidade, ficava pensando: 'Como ele consegue fazer isso?'"

"Vivia exausto", comentou Paul, "e cheguei a ficar obcecado pela ideia de dormir. Minha mente fazia cálculos o tempo todo: 'Se for para a cama nesse ou naquele horário, quantas horas de sono eu terei?'. Becky e eu tínhamos rotinas muito diferentes, a ponto de eu pensar: 'Se estamos separados desse jeito aos 50 anos, como será quando chegarmos aos 70?'"

Quando os filhos já haviam crescido e saído de casa, Paul recebeu uma promoção. Parecia a hora certa para se mudarem. Nessa época, a filha mais velha veio visitá-los e, ao ver o pai, comentou: "Se continuar com essa vida, o senhor vai morrer. Quero que meus filhos curtam os avós". E "ordenou" que se mudassem para a cidade.

Se estamos separados desse jeito aos 50 anos, como será quando chegarmos aos 70?

Agora foi a vez de Becky se sacrificar. "Foi muito difícil para ela se desligar da rotina solitária para uma vida a dois", comentou Paul. "No entanto, foi necessário para prosseguirmos com uma vida em comum."

"Um dos resultados dessa nova fase é que ficamos mais ligados ao que acontece um com outro", comentou Becky.

"TRABALHANDO JUNTOS EM ALGUMA COISA"

Kevin e Karen também são um casal aventureiro que não se encaixa no modelo típico: participam ativamente em uma igreja; não tiram férias exóticas (a menos que se inclua a viagem de Kevin para visitar uma igreja "irmã" na Nigéria alguns anos atrás); vivem há muitos anos na mesma casa. Entretanto, Kevin e Karen encontraram aventura e renovação ao decidirem correr atrás de um "propósito compartilhado".

Esse casal fez uma descoberta transformadora na época em que seus dois filhos ainda eram pequenos. Naquela ocasião, ambos lideravam um grupo de adolescentes extremamente rebeldes em uma igreja. A situação estava tão difícil que chegaram a pensar em desistir. Embora o relacionamento deles estivesse sofrendo com isso, o desânimo os incentivou a conversar cada vez mais um com o outro.

O que descobriram foi isto:

"A maior surpresa foi perceber que algo bom estava acontecendo em nosso casamento. Estávamos trabalhando juntos em alguma coisa. Que coisa maluca! Aquele ministério deveria ter destruído nosso casamento, mas na verdade nos levou a um novo nível de intimidade."

Aquela "alguma coisa" se tornou mais que uma tarefa conjunta. Culminou em um livro intitulado *More Than You and Me* [Mais que você e eu], no qual resumem a visão do casamento como um instrumento para servir aos outros.

Desde a experiência com aquele grupo de adolescentes décadas atrás, Kevin e Karen enfrentaram grandes desafios pessoais: crianças difíceis, momentos complicados na vida da igreja e até problemas físicos. Apesar disso, continuam unidos em seu ministério de servir aos outros. Recentemente, convidaram à casa deles quatro casais jovens para conversar a respeito das dificuldades da vida. "São casais bastante envolvidos com a igreja e desejosos de crescer. Ajudar outros casais é uma das coisas que amamos fazer juntos."

Hoje Kevin tem um novo emprego no ramo editorial, área em que havia ingressado trinta anos atrás. Seu coração de pastor, no entanto, ainda o mantém envolvido com a igreja onde participa com a esposa. E, em meio à correria da vida, é provável que continuarão a utilizar o casamento como instrumento para servir aos outros — e a desfrutar muitas aventuras ao longo do caminho.

"Quando perdemos a maior parte de nossas reservas, tivemos de fazer uma escolha"

Transformar o casamento em aventura, e não em enfado, é um trabalho que exige duas pessoas — muitas vezes diferentes uma da outra, com seus talentos, preferências e motivações distintas. Como um casal pode partilhar de um propósito quando um parece ter saído de Marte e o outro de Vênus?

A experiência de Ted e Linda pode ajudar a esclarecer essa questão. Neste momento, ambos estão vivendo uma grande aventura: moram em um barco. E não se trata de um daqueles enormes barcos-casa, mas de uma embarcação pequena, com pouco mais de 30m². Essa aventura teve início anos atrás, na época do estouro da bolha imobiliária americana (2007), que causou o desaparecimento do valor de hipoteca da casa deles. No ano seguinte, receberam uma ligação telefônica da Comissão de Títulos e Câmbio dos Estados Unidos informando que haviam sido vítimas de um golpe referido como esquema Ponzi, perpetrado por dois investidores em quem confiaram. Embora os defraudadores tenham ido para a cadeia, Ted e Linda perderam todo o dinheiro investido e ficaram sem meios de quitar a casa ou sequer alugar um imóvel.

Restaram poucas opções

"Sempre sonhamos viver no mar", comentou Ted, "por isso não foi muito difícil enxergar nossa falência como oportunidade para uma aventura. Começamos, então, a procurar um barco."

Teve início a longa aventura no barco! Como, porém, duas pessoas tão diferentes poderiam conviver meses e meses confinados em um ambiente minúsculo? No início do casamento, cada um havia escolhido para si uma missão pessoal e uma missão como casal. Que interessante: correram atrás de propósitos pessoais, mas ignoraram um combinado.

Por que o propósito coletivo foi chutado para escanteio? Segundo eles: "O propósito individual de cada um contribuiu para nos unir como casal". Pode parecer contraditório, mas o que se percebe é que o respeito mútuo por aquilo que o outro cônjuge traz para o casamento é essencial.

Décadas de matrimônio produziram novas dinâmicas e novas tensões, a exemplo da capacidade de absorver o impacto emocional daquela grande perda financeira. "Quando perdemos a maior parte de nossas reservas, tivemos de fazer uma escolha", comentou Ted. "Poderíamos cair em amargura ou enxergar aquela perda como uma oportunidade de experimentar a vida em um ambiente completamente novo. Confiar na provisão de Deus é um fato em nossa vida, como também nossa gratidão por ela. Várias vezes nos perguntamos: 'E agora? Como Deus proverá? Devemos mudar para uma casa em terra, onde nossos netos possam nos visitar com mais frequência?'. Mas a resposta foi: decidimos realizar o sonho de viver em um barco e aprender a confiar em nosso Mestre para lidar com o que vier pela frente."

Compreendendo "o outro"

Uma pitada de impetuosidade e um senso de propósito e de aventura, associados ao compromisso de buscar um objetivo em comum, são fatores que energizam e aprofundam o casamento. Na prática, significa participar dos dons e do amadurecimento um do outro ano após ano e evitar o comodismo e a estagnação, e muitas vezes também significa sacrifício.

O outro. A única maneira de o casamento florescer, independentemente da fase da vida em que o casal se encontra, é compreender, aceitar e ouvir "o outro", a pessoa mais importante em nossa vida. Para ter um casamento longevo, os cônjuges necessitam compreender um ao outro, especialmente em momentos de grandes decisões. Embora compartilhem dos mesmos princípios, talvez discordem fortemente a respeito de que direção seguir.

A exemplo de outros casais, Jeanette e eu (Harold) fizemos escolhas, anos atrás, que definiram nossa vida atual. Em três ocasiões importantes, ela insistiu que decidíssemos em unanimidade.

Por iniciativa dela, acolhemos Ricky, um menino órfão, e depois decidimos adotá-lo. Entretanto, estávamos completamente atarefados com nossos três filhos próprios, sem contar as pressões que eu enfrentava no trabalho. Além disso, já havíamos passado da idade em que normalmente os casais se tornam pais adotivos. Oramos e conversamos repetidas vezes a respeito dessa enorme decisão. Enquanto isso, Jeanette me dizia o tempo todo: "Não podemos fazer isso se não estivermos os dois cem por cento de acordo".

Três vezes fomos confrontados com a clara necessidade de adotar uma criança e três vezes, depois de muita oração e conversa, concordamos.

A dificuldade sempre aparece, e para nós não foi diferente. A insistência de Jeanette para que estivéssemos unidos a respeito da adoção se mostrou corretíssima. Como é fácil começar o joguinho da culpa: "Se *você* não tivesse...".

Nos filmes de ação, a fórmula para o desastre geralmente está no desentendimento entre as pessoas, cada uma querendo seguir seu próprio caminho. Em contraste, a determinação de encontrar um ponto em comum ou concordar plenamente com uma decisão mútua revela sabedoria bíblica: "É melhor ter companhia do que estar sozinho [...]. Se um cair, o amigo pode ajudá-lo a levantar-se" (Ec 4.9-10).

GASTANDO SEUS "ANOS EXTRAS"

De acordo com os demógrafos, temos uma novidade debaixo do sol: o período chamado "anos extras", isto é, vinte, trinta ou mais anos extras de expectativa de vida. O psicólogo Erik Erikson cunhou o termo "generatividade" para se referir a esse período em que adultos mais experientes podem transmitir valores e sabedoria à próxima geração.

Essa fase estendida de "generatividade" tem sido bastante utilizada por muitos casais que a consideram uma dádiva. Joe e Marilyn, cujo lar é ponto de parada para netos e visitantes internacionais, viajam com frequência ao Brasil para ajudar a filha (e a família dela) em um ministério de auxílio a crianças de rua em São Paulo.

O instinto natural deles para aventuras se manifestou desde cedo. Joe, mergulhador de salto ornamental, notou Marilyn pela primeira vez quando ela se separou de seu grupinho de amigas e subiu corajosamente no trampolim para tentar um salto. O episódio ensejou um casamento sem fronteiras. Com os filhos ainda pequenos, saíram da Escócia e viajaram seis semanas até Beirute, no Líbano, onde Joe começou a lecionar. Três anos mais tarde, de volta ao lar, nos Estados Unidos, surgiu a oportunidade inesperada de lecionar na Nigéria. Embora as crianças não quisessem saber de outra mudança tão cedo, Marilyn perguntou: "Por que não?". E partiram mais uma vez.

O leitor talvez questione como esse casal conseguiu superar suas diferenças, mas eles conseguem se lembrar de apenas uma discussão acalorada. No Líbano, Joe lecionava e almoçava na Universidade Americana no Cairo, frequentada majoritariamente por estudantes muçulmanos. Por questão de cortesia, decidiu jejuar durante o Ramadã, coisa que Marilyn desaprovou veementemente — mais que isso, ela admitiu ter ficado furiosa com ele.

"Por quanto tempo ficou zangada com ele?", perguntamos.

"O mês inteiro do Ramadã!".

Apesar dos desafios de adaptação a outras culturas, Marilyn e Joe não trocariam esse estilo de vida por nada. "Sem aventura a vida seria um tédio", comentou Marilyn. "A aventura é a centelha da vida."

"DEUS TEM MUITO MAIS PARA NÓS"

Contudo, nem todos os casais estão prontos, ou aptos, a voar para o Brasil ou se mudar para uma megalópole. Compartilhar propósitos e desenvolver um espírito de aventura são questões de percepção e dependem da personalidade e da realidade física e financeira de cada um.

Certo casal concordou em cuidar, por algum tempo, dos animais de estimação da filha casada: um cachorro, um peixe e alguns pássaros. Segundo eles, foi uma experiência revigorante: "Quebrou nossa rotina e nos forçou a prestar atenção a essas criaturas. Depois que os filhos saíram de casa, ficamos apegados demais ao lar e à nossa rotina meticulosamente planejada. Somos avessos a grandes riscos, coisa com que aliás já nos conformamos, mas sempre pensamos sobre onde poderíamos encontrar a *nossa* aventura. Gosto de chegar em casa e ouvir os periquitos, ver brinquedos do cachorro mascados e espalhados pela casa inteira e observar o ziguezague do peixe indignado me comunicando que está na hora da comida. Faz bem para nós".

Esse mesmo casal começou, recentemente, a frequentar uma igreja anglicana. Comentaram que a aventura de participar de uma igreja maior, mais jovem e mais litúrgica foi uma mudança necessária. "O culto é jovial e muito criativo, mas ao mesmo tempo com um ar de solenidade. A pregação é firmemente bíblica e bastante relevante. Percebo como ambos crescemos espiritualmente. Costumávamos discutir no caminho para a igreja, mas hoje vamos para a cama animados com a expectativa do sermão de domingo. Também conversamos a respeito de como podemos servir. Tudo parece novo e enérgico. Acreditamos que Deus tem muito mais para nós."

Mergulhando de cabeça

Um marido comentou: "Quando olho para trás, vejo dias alucinados, cheios de pressões no trabalho, crianças na escola e toneladas de atividades, e eu sempre me esforçando ao máximo e me perguntando o que viria pela frente. Foi uma grande aventura, mas agora tudo mudou. Em certo sentido, porém, continua a mesma coisa: sempre um dia novo cheio de escolhas e de pessoas para amar. Isso permanecerá um fato, ainda que minha saúde deteriore e eu caia doente de cama".

Jerry e Shirley Rose, autores do livro *Significant Living* [Viver com significado], nos desafiam a "não desistir de novas aventuras à medida que envelhecemos, pois Deus continua fidedigno como sempre". Como ilustração, utilizaram sua experiência de canoagem no rio. "O rio", escreveram eles, "foi uma aventura recheada de percalços, mas com um cenário incrível, grandioso." No rio, submeteram-se à vontade da correnteza, sabendo que não se perderiam e que teriam muitas aventuras ao longo do caminho. Referindo-se especialmente à segunda metade da vida, concluíram: "Podemos experimentar mais emoção, produzir mais fruto e viver de maneira mais significativa ao nos atirarmos de cabeça na correnteza de Deus".[2]

Como construir um casamento cheio de aventuras

Aventurar-se não significa realizar coisas drásticas como viver em um barco. Antes, pode significar um restaurante diferente ou assistir a uma partida de futebol amador em que participa o filho de algum amigo (e na segunda-feira enviar um bilhete dizendo ao garoto que gostou muito de vê-lo jogar). Aventurar-se também pode significar um ministério.

Todavia, não é possível compartilhar todas as aventuras. Cada cônjuge é responsável por encontrar seu próprio espírito de aventura. Aprecio (eu, Gary) o período da manhã. Curto passear pelo bosque atrás de casa podando kudzu (caso o leitor nunca tenha visitado a região sudeste dos EUA, provavelmente não conhece essa planta), uma trepadeira de folhas largas e crescimento rápido que sobe agarrando-se ao tronco das árvores, eventualmente levando-as à morte. Por causa disso, me dou ao trabalho de cortar as trepadeiras no nível do solo, fazendo com que sequem e eventualmente caiam das árvores. Pode-se dizer, portanto, que sou amigo das árvores. Amo essa experiência de andar no meio da floresta. Em contraste, minha esposa Karolyn aprecia o período da noite. Ela jamais se aventuraria comigo mato adentro pela manhã, mesmo que gostasse de acordar cedo. Ela se preocupa demais com cobras, carrapatos e plantas venenosas. E, no entanto, se encanta ao ouvir minhas aventuras a respeito de sons e observações que encontro por ali.

> Cada cônjuge é responsável por encontrar seu próprio espírito de aventura.

A curtição de Karolyn são as sinfonias. Gostaria de distinguir cada instrumento da mesma forma que ela, mas não sou músico e não consigo prestar atenção a todos os sons. Para ela, aventura é assistir a um concerto sinfônico. Quando retorna de um desses eventos, eu me encanto ao ouvi-la descrever sua experiência. Minha alegria é ver o espírito de aventura que continua vibrante no coração e nos olhos dela à medida que compartilha comigo.

Conceder um ao outro espaço para desenvolver o próprio espírito de aventura é um dos fatores essenciais para a construção de um casamento aventuroso.

SUGESTÕES PARA ESTIMULAR O ESPÍRITO AVENTUREIRO EM SEU CASAMENTO

1. Participar de um curso de artesanato juntos.
2. Estimular a criatividade um do outro por meio de oficinas artísticas.
3. Visitar a cidade natal um do outro e mostrar o lugar onde nasceram e estudaram, a igreja que frequentaram etc. A viagem será ainda melhor se puderem levar os netos.
4. Fazer trabalho voluntário juntos em alguma obra de caridade.
5. Retornar ao local onde passaram a lua de mel.
6. Voluntariar-se para uma viagem missionária, talvez até em outro país.
7. Uma vez ao ano visitar uma igreja diferente em sua cidade.
8. Passear de trem.
9. Participar de um encontro de antigos colegas de escola ou de faculdade.
10. Comprar presentes natalinos juntos.

Incentivamos o leitor a formular sua própria lista de aventuras, individualmente e como casal.

2

Encontrando o meio-termo: a dança das diferenças

Antes mesmo de se casar, Brad sonhava com a possibilidade de acordar cedo todos os dias e tomar café com sua esposa, Jennifer. Depois do casamento, porém, descobriu que ela não curtia acordar cedo. Sonhava em fazer caminhadas e acampar juntos, mas descobriu que para ela acampamento era sinônimo de hotel. Achava importante guardar dinheiro (pagou à vista o anel de casamento, um anel superdiscreto diga-se), mas o lema dela era "compre hoje, pois amanhã talvez não tenha dinheiro". Acreditava haver uma resposta racional para todas as coisas. "Vamos analisar a situação" era seu lema favorito, mas Jennifer respondia: "Chega, não aguento mais pensar! Que tal, pelo menos uma vez na vida, fazermos alguma coisa sem pensar muito?".

É bem provável que o leitor perceba esse mesmo tipo de coisa nos primeiros anos de seu casamento. Uma das lições mais importantes que aprendemos a respeito do matrimônio é a seguinte verdade: um cônjuge não é igual ao outro. Ainda que pareçam iguais em muitas coisas, existem diferenças marcantes.

"Meu marido e eu crescemos na mesma cidade, separados apenas alguns quilômetros um do outro. Frequentamos a mesma escola e participamos da mesma igreja (embora, por ser uma congregação muito grande, não tenhamos chegado a nos conhecer). Possuíamos uma ética semelhante e éramos ambos tranquilos, sem mencionar o fato de que tínhamos gosto parecido para muitas coisas. Sempre fomos muito compatíveis. Um antigo professor de escola que nos conhecia comentou que éramos 'almas gêmeas'.

"Entretanto, ao longo dos anos percebi como éramos diferentes em algumas questões essenciais não tão óbvias. Por exemplo, sou mais intuitiva, mais sonhadora a respeito do futuro. Ele é mais imediatista, mais ligado ao momento. Essa compreensão fez uma grande diferença em nossos trinta e tantos anos de casamento, porém custou a chegar."

Quer o leitor concorde com a analogia de que homens são de Marte e mulheres são de Vênus, quer pense que tal comparação seja mero exagero, é fato que um conjunto enorme de variáveis garante que todos os casamentos tenham suas diferenças.

Além da questão masculino/feminino, até mesmo dois introvertidos ou dois extrovertidos criados em lares parecidos manifestam diferenças em razão de: terem crescido com ou sem irmãos; pais com estilos de educação diferentes; experiências pessoais na escola e no trabalho; temperamento e linguagens de amor de cada um; e assim por diante. A lista é interminável.

Essas diferenças podem ser apreciadas (ou ao menos reconhecidas) ou podem incomodar como pedra no sapato.

Em meu livro *O casamento que você sempre quis*, escrevi (eu, Gary) a respeito de Jason, sujeito que me contou como seu casamento terminou em divórcio. Hoje Jason percebe que ele mesmo destruiu seu casamento: "Deixei que minhas emoções controlassem minha vida. Por sermos tão diferentes, muitas coisas que Susan fazia me irritavam. Quase todo dia dizia a ela que me sentia magoado, decepcionado, frustrado e com raiva. Ela recebia tudo isso como condenação. Tentei me abrir para ela, mas agora percebo que não se pode despejar água de esgoto no casamento e esperar que se transforme em um jardim".

Jason está certo. Pode ser difícil harmonizar as diferenças e aprender a dançar com um parceiro que vai para a esquerda enquanto você segue para a direita, mas não é impossível. Casais com quem conversamos aprenderam a ser flexíveis e a comunicar respeito mútuo e amor. Um casal com diferenças muito sérias de personalidade comentou:

"Quando nos casamos, gostávamos de citar o bordão: 'A questão não é encontrar a pessoa certa, mas *ser* a pessoa certa'. Nos primeiros anos, porém, não percebemos quão diferentes éramos. Não medimos esforços para conhecer melhor um ao outro. Por fim descobrimos que, em vez de tentar mudar a outra pessoa, era melhor encontrar um meio-termo".

"ELA SABE QUE NÃO CONSIGO AGIR DIFERENTE"

Outro casal comentou: "Trata-se de aceitar a outra pessoa como ela é". Um marido forneceu este exemplo:

"Minha esposa rejuvenesce em ocasiões sociais. Embora não seja muito boa em jogos de grupo, sente-se em casa quando o pessoal começa a rir e a gritar em brincadeiras de adivinhações.

"Para mim, aglomerações sociais são apenas toleráveis. Gosto mais de me relacionar de um para um. Sinto-me meio idiota brincando de adivinhar. Não que eu seja ignorante, apenas não consigo pensar rápido.

"Recentemente fomos a uma festa em que todos eram obrigados a participar da brincadeira. Tentei entrar no espírito e rir com a turma, mas me senti um bobo. Quando chegava minha hora, simplesmente passava a vez para o próximo.

"O que estou tentando dizer é o seguinte: minha esposa chamou minha atenção uma única vez com um cochicho ao pé do ouvido — 'Põe um sorriso nessa cara', disse ela em tom bem-humorado. E nem mesmo mencionou minha atitude ao voltarmos para casa. Anos atrás teríamos uma deprimente discussão sobre minha capacidade de estragar uma noite especial, mas ela sabe que não consigo agir diferente. Aprendi a apreciar o fato de que ela se diverte nessas ocasiões, mesmo que eu não esteja me divertindo". A disposição de respeitar a personalidade e os interesses do cônjuge pode representar o primeiro passo em direção à harmonia.

Aprendendo as cinco linguagens do amor

No entanto, o tempo não apaga sozinho todas as diferenças. É por essa razão que tenho (eu, Gary) atendido enxurradas de casais ao longo dos anos. Algumas dessas diferenças, a exemplo de Jason e sua esposa, são mais profundas e doloridas. Outras talvez não sejam tão profundas, mas ainda podem gerar mágoa no casamento. Percebi que aprender a principal linguagem do amor um do outro e praticá-la constantemente cria um ambiente emocional positivo, no qual as diferenças podem ser tratadas e transformadas em recursos em vez de desvantagens.

Eis um breve resumo das cinco linguagens do amor.

1. *Palavras de afirmação.* Uso da linguagem para apoiar o cônjuge: "Você ficou muito bem nesse vestido", "Gostei muito da sua ajuda", "Uma das coisas que aprecio em você é sua...".

2. *Atos de serviço.* Fazer coisas que você sabe que o outro cônjuge gostaria de receber: ajudar no preparo das refeições, lavar a louça, passar o aspirador na casa, cortar a grama, lavar o carro, limpar a calçada etc. Caso essa seja a linguagem do seu cônjuge, "suas ações valem mais que suas palavras".

3. *Presentes.* O ato universal de presentear como expressão de amor. Oferecer um presente equivale a dizer: "Que legal, ele pensou em mim!", "Veja o que ela comprou para mim!".

4. *Tempo de qualidade.* Conceder atenção total ao cônjuge. Não estou me referindo a sentarem-se juntos para assistir a um filme. Estou falando de desligar a televisão, olhar um para o outro, falar e ouvir. Sair para caminhar e conversar também é muito válido.

5. *Toque físico.* Segurar as mãos, abraçar, beijar, colocar o braço no ombro do outro, tocar a mão dele/dela enquanto está dirigindo — sem mencionar toda a questão sexual no casamento.

Resumindo de forma simples, cada um fala ao menos uma dessas cinco linguagens, isto é, aquela que toca mais profundamente que as demais. Nesse sentido, é bastante parecido com o idioma que cada um aprendeu na infância, com suas próprias peculiaridades de dialeto. É esse idioma que compreendemos melhor. As linguagens do amor funcionam da mesma maneira. Caso fale uma linguagem do amor diferente da de seu cônjuge, o significado dessa linguagem para você não será o mesmo para o outro. Muitos casais passaram longos anos afastados emocionalmente em razão de não terem aprendido a falar a principal linguagem do amor um do outro.

Caso ainda não tenha ouvido falar dessas cinco linguagens, seria interessante conhecer o livro *As 5 linguagens do amor* e descobrir a principal linguagem do amor de cada um. A partir do momento em que ambos falarem regularmente a principal linguagem do amor um do outro, surgirá um ambiente positivo no qual poderão lidar mais facilmente com suas diferenças.

"Houve ocasiões em que tudo o que eu desejava era sumir"

Todo conselheiro deseja, por boas razões, descobrir fatos a respeito da "origem familiar" de seu cliente. Nossas experiências de infância nos afetam profundamente. Com certeza afetaram John e Sharon.

Sharon descreve a si mesma como alguém que entrou no casamento se sentindo muito segura e protegida — e inocente. "Morei com meus pais até me casar, aos 25 anos, porém parecia uma adolescente de 14! Levava uma vida de Poliana. Achava que nada ruim aconteceria. Não sabia, por exemplo, que ter um bebê era sinônimo de noites mal dormidas."

Em contraste, John comenta que cresceu "como quem anda na beirada de um precipício em meio à ventania, sem estabilidade e sem segurança nenhuma. Se alguma coisa boa me acontecia, era porque algo pior me aguardava em seguida".

Ao longo dos anos, tiveram de fazer muitos ajustes, ao mesmo tempo que criavam três garotos. Por exemplo, durante as reuniões de estudo bíblico, Sharon vinha em busca de alimento espiritual, enquanto John ficava perguntando "Por quê? Por quê? Por quê?". John só conseguia lidar com o estresse por meio de longas corridas. No início do casamento, Sharon concordou que ele a treinasse, mas ela logo desistiu.

Os maiores ajustes, no entanto, vieram depois que os filhos saíram de casa e se casaram. Após décadas de emprego estável, John foi despedido.

"As pessoas costumam dizer que tudo melhora depois dos 50 anos, que o melhor ainda estava por vir", comentou John. "Será mesmo? O que aconteceu conosco não era de jeito nenhum o que esperávamos."

Sharon ficou abaladíssima com aquela nova situação difícil. "Para onde correr quando alguma coisa injusta acontece? Houve ocasiões em que tudo o que eu desejava era sumir. Foi muito difícil. Pessoas que ainda não enfrentaram situações graves não percebem que ninguém escapa ileso. Para mim, que passei a infância toda protegida, foi um choque. John, por outro lado, não se abala com nada."

Sharon ficou com muita raiva, mas John simplesmente se sentiu decepcionado consigo. Afinal, para ele "o homem tem de prover". A tensão entre os dois aumentou. "Foi difícil para John lidar comigo", lembra Sharon. As diferenças se tornaram grande parte do problema.

"Gosto de negociar", comentou John. "Mas eu não", replicou Sharon.

John enxerga Sharon como uma pessoa forte e passional. Em contrapartida, ela o enxerga como a voz da razão. Sharon lhe "traz equilíbrio". John "mantém os pés dela no chão".

Sharon comenta que os últimos seis anos de percalços a trouxeram mais perto de Deus, obrigando-a a buscar auxílio e maneiras de mu-

As pessoas costumam dizer que tudo melhora depois dos 50 anos. Será mesmo?

dar seu pensamento. Anos atrás, leu um artigo na revista *Marriage Partnership* [Parceria no casamento] sobre histórias de casamentos longos e as razões que levavam aquelas pessoas a permanecer casadas. "Ainda me lembro da conclusão: 'É porque não desistimos', comentaram aqueles casais".

Ao final de nossa entrevista, ela acrescentou: "Finalmente aprendi, depois de todos esses anos, um fato a respeito da vida: não importa quão ruim ou agradável seja a situação, *com certeza ela vai mudar*".

Garotos-propaganda do lema
"os opostos se atraem"

Vez ou outra encontramos um casal com personalidades verdadeiramente opostas, a exemplo de Andy (cara de professor sério, barba cinzenta e olhos brilhantes) e Phyllis (alta, ruiva, enérgica e sempre sorridente), ambos palestrantes para estudantes universitários que se divertem falando a respeito de suas diferenças.

Andy, com olhar estupefato, inicia com um monólogo curto:

> Phyllis e eu somos garotos-propaganda do lema "os opostos se atraem". Ela é extrovertida, eu sou introvertido.
> Phyllis se preocupa apaixonadamente com o mundo. Eu apenas conjecturo a respeito do mundo.
> Para Phyllis, todas as pessoas são fascinantes e interessantes. Para mim, fascinantes e interessantes *são os dicionários*.
> Phyllis gosta muito de conversar. Ela é capaz de fazer até um poste falar. O poste sou eu.

A última frase arranca gargalhadas da plateia ao notarem a simpatia e o dinamismo de Phyllis, mas o público fica chocado ao ouvir que o casal está junto há quase quarenta anos. Nessa hora, invariavelmente as garotas da plateia oferecem uma salva de palmas. Cientes da enorme quantidade de casamentos fracassados, essas jovens cultivam a grande esperança de ver casais ainda se amando de verdade após tantos anos juntos.

Andy e Phyllis dizem a elas que está tudo bem em ser atraído por alguém com diferenças de personalidade. O que

Encontrando o meio-termo: a dança das diferenças 41

é crucial é ter os mesmos valores. Apesar disso, diferenças de personalidade podem gerar problemas avassaladores no casamento e, por essa razão, exigem "tratamento especial".

Andy calculou que levaram aproximadamente vinte anos para resolver suas divergências de maneira efetiva. "Quando a coisa fica feia entre nós, Phyllis se propõe resolver imediatamente, mas eu preciso de espaço e tempo para me acalmar. Não gosto de fazer nada com raiva."

Como lidaram com a situação? "Duas coisas aconteceram", comentou Andy. "Primeiro, ela percebeu que depois eu acabava me acalmando e então podíamos sentar para conversar. Segundo, com o tempo aprendi a me acalmar mais rápido."

Phyllis acrescentou: "Percebi que o medo dele de dizer besteira era genuíno".

"Tivemos muitas brigas", comentou Andy, "mas jamais faltamos com o respeito um ao outro."

Resolver as diferenças é importante, mas buscar e praticar princípios em comum é mais ainda. Por exemplo, embora Andy e Phyllis sejam opostos em muitas coisas, partilham do mesmo gosto por alcançar objetivos e resolver problemas.

Perguntamos o que os quatro filhos deles comentavam a respeito dessas diferenças, e Andy respondeu de imediato: "Em casa me apelidaram de Bisonho, o burrinho amigo do Ursinho Puff. Sempre me chamam assim".

Que contraste perfeito: a animada Phyllis e o melancólico Bisonho! Apesar disso, a disposição de Andy para sorrir e suas tiradas engraçadas fazem dele um sujeito muito mais complexo que o personagem do desenho animado. Certa vez sua filha comentou: "Papai é o homem mais controlado que conheço. Nunca faz nada sem pensar antes".

Essa característica ajuda a evitar problemas, mas também pode gerar conflitos se um dos cônjuges tiver uma personalidade mais espontânea. Por esse motivo, ambos decidiram criar uma cultura familiar que estimulasse a franqueza. Phyllis é aquele tipo raro de pessoa que curte uma provocação bem-humorada. Até sorriu quando Andy comentou a curiosa "definição perfeita" que encontraram para o nome dela: "Phyllis: feliz, mas descoordenada". "Sou desajeitada, sim!", admitiu ela.

A lição aqui é a seguinte: independentemente de marido e esposa serem verdadeiros opostos, como no caso de Andy e Phyllis, ou apenas diferentes, a exemplo de Sharon e John, as diferenças podem desgastar o casamento ou fortalecê-lo. Um pouco de bom humor, algum esforço para compreender como "o outro" gosta de ser amado e uma grande dose de aceitação representam um grande passo rumo ao sucesso.

UNIDADE SIM, UNIFORMIDADE NÃO

Embora as diferenças possam causar muitos estragos, também podem trazer alegria. Mencionei (eu, Gary) anteriormente que minha esposa não curte acordar cedo. Contudo, recentemente deparei com ela na cozinha às sete da manhã. Isso não acontecia desde que nosso filho caçula saiu de casa. Primeiro, bati a cabeça na porta do armário que ela havia deixado aberto; em seguida, bati o cotovelo na porta do micro-ondas, também aberto; depois, esbarrei nela ao virar para pegar uma faca e quase fomos os dois para o chão. Pedi desculpa e acrescentei com toda a sinceridade: "Meu amor, que bom que você não gosta de acordar cedo".

Percebi que minha atitude havia mudado com relação aos primeiros dias de casamento. Naquela época, sentia-me irritado por ela não acordar cedo para desfrutar as manhãs comigo. Percebi que havia me acostumado a tomar o café da manhã apenas com Deus (afinal, ele está sempre acordado).

Gosto do fato de que as únicas portas e gavetas abertas são as que eu mesmo abro. Aprendi não apenas a aceitar nossas diferenças, mas apreciá-las.

Nossas diferenças estão fundamentadas no fato de sermos criaturas de um Deus infinitamente criativo. Ninguém é exatamente igual ao outro. Cada indivíduo é uma obra-prima de Deus. As Escrituras afirmam que duas pessoas se tornam uma por meio do casamento. Essa unidade, porém, não significa uniformidade. Não é intenção de Deus que nos tornemos iguais. As diferenças existem para que nos complementemos mutuamente e sejamos fortalecidos para servir a Cristo.

Infelizmente, a realidade do casamento mostra que as diferenças frequentemente levam os casais à loucura. Certamente não é isso o que Deus tinha em mente, pois nossas diferenças são parte do plano divino. O segredo está em transformá-las em recursos, isto é, fazê-las trabalhar em nosso benefício, e não contra nós.

Cada indivíduo é uma obra-prima de Deus. As diferenças existem para que nos complementemos mutuamente.

Sugerimos que vocês escrevam uma lista das diferenças que descobriram um no outro ao longo dos anos e então respondam às perguntas a seguir.

1. Quais dessas diferenças ainda causam divisão em nosso relacionamento?
2. Quais dessas diferenças aprendemos a aceitar um no outro?
3. Quais dessas diferenças enxergamos hoje como recurso?
4. Que medidas podemos tomar para transformar nossas diferenças em algo agradável?

O quadro de personalidades a seguir o ajudará a elaborar sua própria lista de diferenças.³

1. Mar Morto Armazena pensamentos e sentimentos. Fala pouco.	Riacho borbulhante Comunica tudo o que pensa, vê ou sente.
2. Sabiá Acorda cedo, feliz e entusiasmado. "Deus ajuda quem cedo madruga."	Coruja Gosta da noite. Imprestável pela manhã.
3. Assertivo Faça, aconteça, aproveite o dia.	Passivo Espere, calcule, tenha paciência.
4. Maníaco por arrumação "Um lugar para tudo, e tudo no seu devido lugar."	Desleixado "Cadê? Onde está? Onde guardei?"
5. Organizado Planeja com antecedência. Cuida de todos os detalhes.	Espontâneo "Não se preocupe, improvisaremos alguma coisa. Tudo acabará bem."
6. Borboleta "Viva o momento! A vida é uma festa!"	Guaxinim "Estou tão cansado! Que tal ficarmos em casa hoje?"
7. Professor "Veja bem, vamos analisar a situação."	Dançarino "Fiz porque quis, ora! Por que tenho que explicar a razão?"

8. Primeira classe "Custou pouca coisa mais viajar na primeira classe. Além do mais, merecemos."	**Econômico** "Podemos economizar uma grana preta. E a classe econômica não é tão ruim assim."
9. Leitor "Tanta porcaria na televisão e tantos bons livros para ler!"	**Telespectador** "É meu jeito de relaxar. Além disso, não assisto tanto assim."
10. Sinfônico "Bravo, bravo! Esse Opus 12 em lá menor não é a melhor coisa que você já ouviu?"	**Caipira** "Isso sim é música de verdade, tem uma história. Ouça esse solo de viola! Não é o máximo?"
11. Corredor Exercício, corrida, determinação. "Vou treinar todos os dias, chova ou faça sol, para correr a maratona."	**Andarilho** "Correr estraga os joelhos. Caminhar possibilita apreciar a paisagem."
12. Surfista de canais "Por que perder tempo com propagandas? Posso assistir a três canais ao mesmo tempo se pular os comerciais."	**Apreciador de comerciais** "Que tal assistirmos a um programa inteiro em vez de três aos pedaços? Podemos até conversar um pouco durante os comerciais."

3

Crianças em crise

Um dos casais com quem conversamos contou a seguinte piada:

> Certo dia, um advogado se surpreendeu ao receber um casal de nonagenários. Ao indagar o motivo da visita, ouviu o seguinte:
> — Viemos nos divorciar.
> O advogado coçou a cabeça, perplexo:
> — Mas por que se divorciar com essa idade? Por que agora?
> O casal se entreolhou, sorriu e respondeu:
> — Estávamos só aguardando nossos filhos morrerem.

Achamos engraçado e soltamos uma boa risada porque talvez seja verdade! Independentemente de nossa idade ou da idade de nossos filhos, nunca paramos de nos sentir responsáveis por eles. Jamais deixamos de nos entristecer com eles e por eles.

Com certeza nossos filhos adultos não enfrentam crises e problemas o tempo todo. Muitos casais têm um relacionamento bastante satisfatório com seus filhos adultos. A fase difícil da adolescência, repleta de brigas e discussões, já passou. Além disso, não temos mais de nos preocupar em pagar a faculdade. Não há nada mais gostoso que a alegria de ver os filhos felizes em suas escolhas profissionais, contentes com seu cônjuge, firmes com Jesus e, para alguns sortudos, morando na casa ao lado, como no filme *Casamento grego*.

Infelizmente, não é sempre assim.

Uma esposa relatou que sua maior fonte de ansiedade é sua filha adulta, que vira e mexe liga para falar das brigas com o marido: "Ela me conta as coisas ruins que o marido lhe diz, e eu também acabo ficando com raiva e perco o sono. Tempos depois, ela torna a ligar dizendo que fizeram as pazes e que agora está tudo bem!".

> Não há nada mais gostoso que a alegria de ver os filhos felizes. Infelizmente, não é sempre assim.

As mães nunca param de se preocupar. Joy, com quatro filhos adultos, relatou o desejo de vê-los felizes. Hoje, a maior preocupação dessa mãe é o filho de trinta e poucos anos preso a um emprego ruim e incapaz de encontrar seu lugar na vida. "Ele está paralisado", comentou. Também se preocupa com a filha solteira de 32 anos: "Fico pensando no avanço da idade dela...".

"NÃO SABÍAMOS SE CONSEGUIRÍAMOS SAIR DAQUELA SITUAÇÃO"

David e Pamela, depois de três grandes mudanças de moradia e das dificuldades que enfrentaram durante o período de adaptação às diferenças de cada um, curtiam uma fase boa no casamento quando receberam um diagnóstico inesperado: um dos filhos, casado e com uma filhinha, começou a perder a visão. Atleta e ciclista de longa distância, o rapaz ficou arrasado com o prognóstico. Parecia impossível aceitar aquela notícia.

David descreve aquela época como "um período de profunda tristeza. Queria fazer alguma coisa, mas me sentia incapaz, impotente, inepto. Fiquei com muita raiva".

"Mesmo me alimentando, comecei a perder peso", comentou Pamela. "Ver meu marido tão desolado me fazia sentir como se as coisas jamais pudessem voltar a ser como antes. Não conseguíamos sequer falar sobre o assunto."

"Ficamos arrasados", comentou David. "Por um ano ou dois, Pamela e eu sofremos muito e não sabíamos se conseguiríamos sair daquela situação."

"O que os ajudou a superar?", perguntamos.

"O tempo", respondeu Pamela. "Tudo o que restou foi aguentar firme."

David comentou que a reviravolta teve início quando o filho começou a demonstrar coragem ao lidar com a perda da visão. "A coragem dele nos ajudou a aceitar a nova situação."

Depois de uma pausa, prosseguiu: "Ao mesmo tempo, há momentos em que penso: 'Que absurdo! Ele jamais verá a filha'".

Embora ainda esteja lutando com a cegueira, recentemente esse filho completou um percurso de 150 quilômetros de bicicleta com um amigo e continua a assumir tantas responsabilidades quanto possível.

A crise aprofundou o relacionamento de David e Pamela. Recentemente, a filha deles comentou que pareciam mais ligados um ao outro do que jamais estiveram.

"Também sinto isso", comentou Pamela. "David esteve sob forte pressão no trabalho durante a maior parte do casamento. Houve momentos em que pensei que talvez fosse mais fácil se eu estivesse sozinha, mas hoje estamos bem."

"O casamento é um compromisso para a vida toda", comentou David. "É um sacramento que deve ser assumido com seriedade. Ao olharmos para trás, vemos contentamento. Não é à toa que se trata de um relacionamento de longo prazo."

"HÁ MUITO PERCEBEMOS A SEPARAÇÃO SE APROXIMANDO"

Poucas crises estremecem o mundo dos pais como os problemas matrimoniais dos filhos. Conhecemos muito bem as estatísticas. Muitos de nós viram irmãos se divorciarem e se casarem novamente. Mas a história é diferente quando se trata de nossos filhos. Uma esposa comentou: "Quando nossa filha e o marido começaram a ter problemas, uma coisa que me entristeceu muito foi a ideia de que talvez eu não tivesse transmitido um bom exemplo com meu casamento. Temos pessoas próximas cujos filhos adultos seguiram o roteiro padrão: casar cedo e ter filhos. Mas como isso é difícil!".

Pedimos a vários casais que assistiram ao divórcio dos filhos que compartilhassem suas experiências e percepções. Seguem três desses relatos:

> Alguns anos atrás, ambos passamos por sérios problemas de saúde e decidimos cruzar o país para morar perto de nossa filha e sua família quando chegasse a hora de considerar um lar de idosos. Não tínhamos ideia de que o marido dela era alcoólatra. Aliás, por algum tempo, nem mesmo ela soube. Porém, todas as viagens que ele fazia com os amigos envolviam álcool, e houve ocasiões em que nossos netos tiveram de presenciar o pai bêbado. Nossa filha *não* nos pediu conselho quando se divorciou dele, mas compreendemos que ela tinha pouca escolha.
>
> Quanto a nós, depois de cinco anos de bons cuidados com a saúde e incentivo mútuo para manter a forma, ainda somos capazes de ajudar a tomar conta das crianças e de participar

de suas atividades esportivas e escolares. Ficamos muito tristes com o divórcio, mas nos consolamos com a ideia de que o casamento deles nos trouxe esses netos maravilhosos que tanto amamos. Lamentamos aquele pai estar perdendo tantos momentos lindos que suas crianças estão vivendo! Em contrapartida, nos sentimos privilegiados por apoiá-los e participar da formação deles.

Sempre tivemos um relacionamento maravilhoso com nosso filho e nossa filha e amamos os cônjuges que escolheram. Aliás, ainda gostamos muito deles e até compreendemos a razão do divórcio; mas é difícil, nunca pensamos que terminasse desse jeito. De nossa parte, procuramos enxergar motivos de gratidão. Apesar dos problemas deles, os quatro pais se dedicam às crianças e se dão bem uns com os outros. Passamos muito tempo na companhia deles, amando, ajudando e participando da vida de nossos filhos, dos ex-cônjuges deles e dos nossos netos.

Há muito percebemos a separação se aproximando. De certa forma, hoje é melhor que vivam separados. Decidimos não deixar que essa nuvem de tempestade nos abalasse e optamos por permanecer fortes e estáveis. Agir desse modo nos possibilita participar como avós firmes e carinhosos com toda a família. Continuamos a trabalhar em nosso próprio casamento, a fim de mantê-lo saudável, sem ficar remoendo os aspectos negativos à nossa volta. Em vez disso, nos apegamos às coisas boas que estamos vivenciando neste momento.

"De agora em diante não preciso mais que me eduquem"

Justamente quando podemos nos defrontar com períodos de grande mudança — talvez problemas de saúde, mudança de emprego ou simplesmente perda de energia —, eis os filhos a nos solicitar. Certo casal recebeu um telefonema no meio da noite de um filho que havia brigado com um colega de quarto, resultando em intervenção da polícia e a perda da lealdade dos amigos. O sono demorou a retornar após a ligação. O dia seguinte foi difícil e frustrante, uma vez que se dispunham a ajudar à distância enquanto se questionavam se os conselhos oferecidos na noite anterior haviam sido sábios.

A cultura em que vivemos não ajuda em nada. Estatísticas mostram claramente que a geração Y (ou geração do milênio) tem se afastado cada vez mais da fé. Mudanças no comportamento sexual têm causado arrepios até mesmo em quem cresceu na era do "paz e amor". Entretanto, o conflito entre Greg e Lisa e a filha deles, Sarah, foi mais complicado que a maioria.

Greg e Lisa, filhos de missionários, se conhecem desde a infância. "Fomos educados para respeitar limites, sabendo que existem para nos proteger, e não para nos cercear. Já Sarah os vê como um sistema de punição. Bombardeada pelo secularismo americano durante o ensino médio, nem ela nem os amigos dela enxergavam algo errado em ligar e mandar mensagens via celular no meio da madrugada. Em casa tínhamos um lema: 'Nada de bom acontece depois da meia-noite'. Embora haja exceções, a ideia é mostrar que o ímpeto de sempre querer ultrapassar os limites é um convite à desgraça".

Sarah entendia de outra maneira. Aos 14 anos, disse aos pais o seguinte: "Vocês fizeram um bom trabalho, mas de agora em diante não preciso mais que me eduquem. Não preciso que controlem minha internet, não preciso que controlem como devo me vestir, não preciso que saibam onde estou o tempo todo nem se preocupem com os amigos que escolho".

Greg respondeu: "Muito bem, Sarah. E onde você pretende morar?".

"Por lei vocês têm de cuidar de mim até eu completar 18 anos", respondeu ela, e emendou: "Só estou dizendo que não preciso mais que me digam o que fazer".

Percebendo a necessidade de aconselhamento, Greg e Lisa buscaram ajuda. Sarah participou da terapia desde o início do ensino médio até o primeiro ano da faculdade. Em relação ao aconselhamento, Lisa comentou: "Carol, a terapeuta, salvou nossa família". Apesar disso, Sarah continuou fazendo as próprias escolhas e ultrapassando limites; embora algumas vezes o comportamento dela trouxesse certa dose de esperança a Greg e Lisa, com frequência era um balde de água fria.

Ironicamente, foi em uma dessas ocasiões de elevada expectativa que Sarah, depois de romper com um relacionamento amoroso nocivo e reafirmar sua fé, retornou aos pais em lágrimas com a notícia de que talvez estivesse grávida em razão de uma noitada infeliz regada a bebida alcoólica.

Todos choraram e oraram juntos quando receberam a confirmação da gravidez. Naquele dia, leram muitas passagens bíblicas, incluindo Isaías 30.18: "Contudo, o SENHOR espera o momento de ser bondoso com vocês; ele ainda se levantará para mostrar-lhes compaixão. Pois o Senhor é Deus de justiça. Como são felizes todos os que nele esperam!". Em Salmos 143.8 encontraram exortação e consolo: "Faze-me ouvir do teu amor leal pela manhã, pois em ti confio. Mostra-me o caminho que devo seguir, pois a ti elevo a minha alma".

Greg e Lisa logo se viram em uma saia justa, pois Sarah não queria que contassem a ninguém. Contudo, no terceiro mês de gravidez, explicaram que aquela situação também era parte da história deles e desejavam compartilhá-la com os amigos mais chegados. Sarah concordou, embora relutante, e todos prosseguiram a jornada.

Nas palavras de Greg: "Nunca se viu duas pessoas tão opostas como Lisa e eu". Ela, "ouvinte extraordinária e voz da razão compassiva"; ele, "racional, mas algumas vezes muito direto". Ambos passaram horas conversando sobre o assunto. "Havia tanta coisa para resolver e entender. Concedemos liberdade um ao outro para se angustiar, chorar e refletir. Oramos juntos e também com Sarah."

Desde o início perceberam que a decisão de manter o bebê ou entregá-lo para adoção tinha de ser da filha. "Ela nunca pediu nossa opinião e nunca a oferecemos. Caso tivéssemos dito alguma coisa, Sarah poderia ser tentada a pensar, anos depois, que a decisão não havia partido dela. Era necessário que ela fizesse a própria escolha".

Também queriam agir com sabedoria para que Sarah pudesse ser recebida com compaixão pelos membros da igreja. O que se seguiu foi uma redenção superior a tudo que imaginavam.

Sarah conversou com dois pastores e em seguida se reuniu com a família e alguns amigos da igreja. Depois de compartilhar sua situação e após um período de silêncio apropriado, o primeiro a falar foi um professor de uma faculdade próxima. Ele iniciou falando a respeito das próprias falhas e terminou com a seguinte frase: "Sou tão pecador quanto você". Um após outro, todos confessaram as próprias faltas e compartilharam da misericórdia, da graça e do amor de Deus. Quando terminaram, levantaram-se e impuseram as mãos sobre Sarah e oraram por ela. Greg se derramou em lágrimas. Lisa recorda o momento como "um presente extraordinário. Percebemos que nossa igreja é um lugar seguro onde estar".

Mais tarde, Sarah compareceu perante a congregação e, depois de agradecer o acolhimento, disse que estava em contato com uma agência de adoção. Entretanto, acrescentou: "Ainda que Deus me redima, como viver sem sentir remorso por minhas ações e consequências? Não sei se é possível.

Buscar o perdão das pessoas que machuquei requer uma humildade que não possuo; perdoar a mim mesma requer graça e misericórdia que não possuo". Nos meses seguintes, porém, Sarah aprendeu a confiar no Senhor. E Deus usou aquela experiência para renovar o relacionamento dela consigo mesma e com seus pais e para trazer alegria a muita gente.

Lisa comentou que o livro *The Beauty of Broken* [A beleza do quebrantamento], de autoria de Elisa Morgan, fortaleceu muito a vida deles. E o sorriso dela ao mostrar a foto do neto foi a confirmação de que enxergou naquele bebê a beleza da fidelidade de Deus.

COMO LIDAR COM A DOR?

Ao longo dos anos, tenho me comovido (eu, Gary) com casais que, a exemplo de Greg e Lisa, são pais de filhas solteiras grávidas ou de filhos solteiros que engravidaram alguma moça. Algumas vezes, são avós cuja neta retorna grávida da faculdade ou cujo neto admite ter fracassado moralmente. Como agir corretamente quando nossos filhos ou netos fazem coisas erradas?

Gostaria de sugerir o seguinte:

1. *Não se culpe*. O primeiro pensamento que vem à mente de muitos pais é "Onde errei?". Embora se trate de um questionamento lógico, não podemos assumir a responsabilidade pelas escolhas de nossos filhos ou netos. Não é possível os pais andarem o dia inteiro atrás de seus adolescentes ou filhos adultos controlando o comportamento deles. O período da adolescência abre um grande leque de escolhas aos filhos. E escolhas ruins trazem resultados ruins.

2. *Não passe sermão*. Em geral, os filhos já se sentem culpados. Sabem que magoaram os pais e estão cientes das ocasiões em que se comportaram mal e transgrediram o código

moral que lhes foi ensinado. Expressões como "Por que fez isso?", "Como pôde fazer isso conosco?", "Não vê que nos machucou?", "Não posso acreditar que você foi tão estúpido!" aprofundarão ainda mais o problema e jamais trarão cura para a alma de seu filho.

3. *Não tente consertar*. A reação natural de muitos pais é tentar minimizar o problema. Nessa hora, muitos pais ativam o modo "apagar incêndio" e correm para proteger o filho. Em minha opinião, trata-se de uma atitude extremamente insensata. Os jovens têm de aprender a se responsabilizar por suas escolhas.

4. *Ame incondicionalmente*. Permitir ao filho sofrer as consequências de seus atos é em si um ato de amor. Agir dessa forma é buscar o bem dele. Essa atitude é a essência do amor. Caso você conheça a principal linguagem do amor de seu filho, é o momento ideal para comunicá-la o mais que puder, preferencialmente com uma pitada das outras quatro linguagens do amor. O fracasso moral de seu filho produziu sentimento de culpa nele. Assim como Adão e Eva se esconderam da presença de Deus no jardim do Éden, seu filho também tentará se esconder de você.

Daniel e Minnie relataram a respeito do filho que, após o fim das aulas da faculdade, ele ligou para dizer que havia engravidado uma garota. Ao chegar em casa, acolheram-no de imediato e, em prantos, abraçaram-no longamente enquanto repetiam: "Amamos muito você". Mais tarde, sentaram para conversar e ouviram sua confissão e pedido de perdão.

5. *Ouça com empatia*. Empatia significa participar dos sentimentos do outro. Pais precisam se colocar no lugar do filho adulto e tentar compreender o que o levou a se comportar daquela maneira e como ele deve estar se sentindo.

6. *Ofereça apoio*. Mostre a seu filho que você, embora magoado e incapaz de protegê-lo de todas as consequências,

está e permanecerá ao lado dele conforme ele enfrenta os efeitos de seus erros.

7. *Ofereça orientação*. Orientação não significa manipulação. Manipular é decidir o rumo das coisas dali em diante e convencer o filho a seguir esse caminho. Orientar é ajudar o jovem a pensar em sua situação e a tomar decisões sábias ao lidar com as consequências de sua falha moral. Outra maneira de oferecer orientação ao filho adulto é ajudá-lo a chegar à conclusão lógica de suas atitudes por meio de perguntas, e não de afirmações categóricas. O pai/mãe ou avô/avó responsável é aquele que auxilia o filho ou neto a aprender com os próprios erros. Caso o leitor esteja na mesma situação de Greg e Lisa, espero que esses conselhos o ajudem.

Vivendo no mundo das drogas: "Obrigado por não desistirem de mim"

Outra escolha ruim que causa enorme dor e pesar a pais e avós: filhos e netos que lutam contra o vício. Ter um filho viciado pode trazer anos de problemas para o casal. Muitos pais são arrastados por redemoinhos de dificuldades capazes de destruir suas finanças, sua família e até mesmo a esperança. Cada traição de confiança leva os pais a perceberem, vez após vez, que o vício é capaz de destruir qualquer promessa declarada pelo filho. Crise vai, crise vem, e nenhum dos esforços dos pais altera o fato de que o filho se encontra sobre a corda bamba da morte.

Eis o grande drama da vida desses casais que, semelhante a soldados que retornam para casa com a angústia da guerra entalhada na alma, falam da amargura que os empurra, ano após ano, para o abismo do desespero.

Ainda assim, muitos pais que conversaram conosco não apenas se agarraram à esperança, mas, por meio de amor e orações, incluindo reuniões de AA e outros recursos, viram seus filhos vencerem sérias dificuldades e se livrarem das drogas.

Contudo, transcorrem muitos anos terríveis até chegar a esse ponto. Cada crise obrigava os pais a recorrerem a tratamento em casas de recuperação notoriamente caras. Cada diagnóstico produzia mais confusão e decepção. Tentativas de suicídio chegavam muito próximo de alcançar o objetivo. Vez ou outra a esperança retornava, simplesmente para ser pisoteada mais tarde, e orações persistentes pareciam não trazer nenhum resultado.

No entanto, esses casais permaneceram firmes em seu amor e resiliência. Recentemente, um desses filhos, hoje livre das drogas e feliz no casamento, disse aos pais: "Obrigado por não desistirem de mim".

Como os pais podem permanecer firmes nessas circunstâncias? Eis alguns comentários que ouvimos.

Essas experiências podem destruir o casamento. Independentemente da circunstância, é necessário esforço para amar e acolher o cônjuge.

Guardei no coração um sermão intitulado "O rei ainda tem mais uma jogada". Nessa história, um perito enxadrista visita um museu a fim de estudar uma pintura intitulada *Xeque-mate* e decide que o quadro deveria ser repintado ou no mínimo renomeado, pois o rei ainda poderia realizar mais uma jogada. A mensagem que captei para mim foi: "Não estamos em xeque-mate. Deus ainda tem mais uma jogada para nós e nossa família".

Lemos um livro intitulado *Don't Let Your Kids Kill You* [Não deixe seus filhos matarem você]. Não era um livro excepcional, mas nos trouxe um pouco de esperança e nos ajudou a encontrar outros casais com filhos viciados. Descobrimos que o desapego é uma disciplina espiritual.

Durante aquele período, decidi que não viveria a segunda metade da minha vida dedicado aos filhos, mas *à minha esposa*. *Precisa*va me envolver mais com ela.

Percebi que as pessoas nos julgavam quando diziam: "Não entendo, vocês parecem pais tão bons". Eu me punia o tempo todo, até que compartilhei minha história com um pastor e ele me disse: "Seu filho fez escolhas. Veja bem, até Adão no jardim do Éden fez escolhas, e olha que ele tinha um Pai perfeito".

COMO ESTIPULAR LIMITES PARA OS FILHOS?

Pais amam seus filhos e desejam ajudá-los, mas até que ponto são capazes de auxiliá-los? E em que medida devem fazê-lo? Pais sábios admitem que seus recursos financeiros, emocionais e físicos possuem limites. O problema mais comum no relacionamento com filhos adultos é reagir exageradamente às crises deles, envolver-se demais com os problemas deles. Lembre-se que o objetivo de educar os filhos é torná-los independentes. Oferecer ajuda muito cedo ou com muita frequência pode danificar o processo de amadurecimento. O papel dos pais é amar, aceitar, estimular e orientar quando requisitados.

Pais cujos filhos adultos passam por momentos de crise têm de manter um equilíbrio entre autopreservação e autossacrifício. Eles precisam prestar atenção à própria saúde e ao próprio bem-estar à medida que se esforçam para auxiliar o filho em sua necessidade. A saúde física, emocional e espiritual dos pais deve ser nutrida, e eles devem manter o foco no fortalecimento do próprio casamento.

Pais que não procuram ajuda frequentemente se perdem na tentativa de salvar seus filhos.

É comum pai e mãe discordarem a respeito da quantidade de ajuda que podem oferecer a seus filhos adultos. Meu conselho é o seguinte: se estiver com dificuldade para resolver os problemas de seu filho adulto, procure ajuda. Conselheiros ou pastores cristãos provavelmente serão capazes de ajudá-lo a tomar uma decisão sábia. Pais que não procuram ajuda frequentemente se perdem na tentativa de salvar seus filhos. Muitos casais maduros se divorciaram depois de gastar toda a sua energia tentando ajudar o filho adulto. Deixaram de nutrir o próprio relacionamento conjugal.

DESFRUTE SEUS FILHOS ADULTOS, MAS CUIDE DE SEU CÔNJUGE

Gostaríamos de encerrar este capítulo com um tom positivo. Temos hoje milhares de pais na segunda metade do casamento vivendo um relacionamento excelente com seus filhos adultos. Karolyn e eu (Gary) muitas vezes lembramos um ao outro de como fomos abençoados com dois filhos adultos comprometidos com Cristo, felizes no casamento e apaixonados por sua vocação. Embora nenhum de nossos filhos ou netos more perto, mantemos contatos com cada um deles por telefone e mensagens de texto. Quando estamos todos juntos, desfrutamos imensamente o relacionamento com eles.

Uma das grandes alegrias da vida é ver filhos e netos buscando uma vida de serviço aos outros. Como disse o apóstolo João: "Não tenho alegria maior do que ouvir que meus filhos estão andando na verdade" (3Jo 1.4). Desfrute seus filhos adultos e ore por eles. Deixe-os viver a própria vida. E você, cuide de seu cônjuge.[4]

JERRY E DIANNA JENKINS
"PARA MIM, LAR CONTINUA SENDO QUALQUER LUGAR ONDE ELA ESTIVER"

Autor *best-seller*, Jerry B. Jenkins escreveu com frequência e eloquência a respeito de sua esposa, Dianna, com quem está casado há 45 anos. Por meio de seu livro *Hedges* [Cercas], Jerry influenciou duas gerações de casais com princípios que visam proteger o casamento das tentações. Muitos leitores devem estar familiarizados com suas histórias, por exemplo, de como chegava em casa após o trabalho e primeiro dedicava toda a sua atenção aos três filhos pequenos, colocava-os para dormir e, somente então, se sentava para escrever. Pedimos a Jerry que compartilhasse conosco alguns pensamentos a respeito de como marido e mulher podem permanecer "amigos e amantes" após muitos anos de casamento.

Você escreveu que "amor é um ato da vontade, uma ação, e não um sentimento". Como isso funcionou na prática com Dianna ao longo de todos esses anos?
Sou um romântico incurável. Meu pai, embora ex-militar destemido e policial de carreira, também era cortês, gentil e disposto a servir. Por exemplo, ele se referia à minha mãe como sua eterna namorada em centenas de poemas que dedicou a ela ao longo de mais de seis décadas juntos. Para ele, tarefas domésticas não eram trabalho somente de mulher. Muitas vezes o vi lavar louça, esfregar o chão e trocar fraldas (guardo mágoa dele até hoje por ter me deixado esses exemplos de responsabilidade).

Não era muito afeito a passar sermão. Em contrapartida, seu exemplo silencioso me ensinou que a fala — e mesmo a palavra escrita — pode não significar nada. Eram suas ações de amor que demonstravam seu caráter.

Dianna é durona, trabalhadora e dona de uma saúde de ferro. Ao longo de nossos 45 anos de casamento, as únicas vezes que ela ficou de cama, e isso por um período maior que 12 horas, foi — acredite você ou não — durante a recuperação das cirurgias de três partos consecutivos vinte anos atrás. Desde então, ela não teve nenhuma gripe, resfriado ou qualquer outra doença.

Muitos anos atrás, escrevi um livro intitulado *12 Things I Want My Kids to Remember Forever* [12 coisas que desejo que meus filhos lembrem para sempre]; uma das coisas que menciono nele é que "mulheres trabalham mais que homens". Se alguma vez tive dúvidas a esse respeito, descartei-as prontamente naquele período de recuperação, quando finalmente tive o privilégio de cumprir meus votos de casamento "na saúde e na doença".

Consegui servi-la ao menos uma vez! Cheguei até a cozinhar uma refeição completa de Ação de Graças — seguindo instruções dela enquanto descansava na cama. Mais que isso, vibrei no dia da festa enquanto ela, sentada no sofá, dizia aos hóspedes que eu não havia simplesmente comprado tudo pronto no mercado.

Hoje, idosos e com os filhos fora de casa — e ela ainda absurdamente bem de saúde desde aquela época dos partos —, o amor como ato de vontade assumiu a forma de cortesias diárias. Como é fácil essas pequenas coisas caírem no esquecimento ou serem negligenciadas na rotina do dia a dia. No entanto, procuro sempre me lembrar que a admoestação do apóstolo Paulo ("Nada façam por ambição egoísta ou por vaidade, mas humildemente considerem os outros superiores a si mesmos", Fp 2.3) se aplica em casa tanto quanto na igreja ou em qualquer outro lugar.

Trabalhamos para manter um ambiente agradável por meio de gentilezas e bons modos; por exemplo, ainda dizemos obrigado e por favor quando desejamos ou necessitamos de algo um do outro. Talvez soe bobagem, mas quando sobra apenas uma porção de alguma coisa gostosa durante a refeição, oferecemos primeiro ao outro.

Não gostamos de indiferença em nosso relacionamento, mas também não gostamos de exigência de explicações pela cara feia um do outro. Por esse motivo, quando surge um momento esquisito entre nós, competimos para ver quem é o primeiro a quebrar o clima. Não significa, porém, que concordamos em todas as coisas. Concordância em tudo é um mito. Em vez disso, apreciamos as opiniões um do outro com diálogo e respeito mútuo.

Estamos tão acostumados a ser amantes *e* amigos que muitas vezes só percebemos a raridade disso quando alguém menciona. Algumas vezes soa divertido, outras vezes surpreendente. "Parece que vocês se gostam de verdade", "Como se dão bem um com o outro" ou "Está na cara que são felizes".

Observamos muitos casais que parecem apenas tolerar um ao outro. Não consigo imaginar viver dessa maneira.

No início do casamento, você e Dianna se referiram ao lugar onde moravam como Sítio Três Filhos. Você escreveu a respeito das fotografias em tamanho gigante de seus filhos que pendurava nas paredes do seu escritório e de como todos os dias dizia a eles que os amava. Que efeito o amor por seus filhos teve em seu casamento?

Um antigo ditado expressa mais ou menos o seguinte: "A melhor coisa que um pai pode fazer por seus filhos é amar a mãe deles". Descobri que há uma correlação verdadeira nesse caso. Pouca coisa emociona e satisfaz Dianna — ou me torna mais heroico aos olhos dela — que o amor e a atenção que dedico a nossos filhos e, agora, a nossos netos.

Algumas vezes você disse a seus filhos: "Amo vocês mesmo quando são detestáveis". Quando alguém em sua família se comporta mal, como você e sua esposa reagem?

O bom humor é nossa resposta padrão. É claro que tem de ser utilizado com prudência, pois, quando alguém está *verdadeiramente* irritado com alguma coisa, é necessário dar um tempinho para que a pessoa perceba a hilaridade da situação.

Dianna deu uma bronca feroz em um de nossos filhos, na época adolescente (hoje todos os três já passam dos trinta anos), por ter saído sem arrumar o quarto. Ela estava muito zangada, dizendo que se soubesse não o teria deixado sair, e que agora ele teria de arrumar tudinho antes de se deitar, e que se fizesse isso de novo...

Quando ela parou para respirar, meu filho reagiu: "Mas ainda posso continuar morando aqui, certo?".

Como era de esperar, ela rachou o bico de rir.

"Amo vocês mesmo quando são detestáveis" é uma frase que ainda funciona, até mesmo com os netos. Três dos nossos oito netos são adotados e também não pensam duas vezes em exprimir pensamentos horríveis quando estão aborrecidos — por exemplo, o desejo de retornar ao lugar de onde saíram.

Tem sido divertido e gratificante ver nossos filhos responderem de imediato com a mesma afirmação que esses pequeninos anseiam escutar. Nesses casos, pai e mãe costumam dizer: "Que pena, meu filho, mas saiba que isso nunca acontecerá, pois Deus nos entregou você para sempre, e jamais desistiremos de você".

Você costuma dizer, em público e em seus livros, coisas positivas a respeito de Dianna, inclusive que se orgulha da resiliência e da beleza dela. O que causou esses comentários?

Francamente, penso que não seja nada mais que o princípio da Regra de Ouro. Sempre gostei de fazer graça. Por isso me divirto com os comediantes. Entretanto, eu me incomodo ao ver comediantes utilizarem qualidades negativas de seus cônjuges para fazer piada. É muita grosseria, golpe baixo mesmo. Por essa razão decidi, muitos anos atrás, que simplesmente não faria isso; em vez disso, sempre que eu abrisse a boca a respeito de Dianna seria para edificação dela.

Tenho ouvido maridos se referirem à esposa como "dona onça", "aquela lá" ou "patroa". Se alguém chama a atenção deles, imediatamente acrescentam: "Ah, mas ela sabe que a amo, ou eu não estaria brincando com ela". Dianna sabe que a amo porque eu digo isso a ela.

Você desafiou seus filhos com a ideia de que em sua família "ninguém desiste". Em que circunstâncias esse compromisso tem sido necessário?

A vida é dura. Sei que é muito mais difícil para pessoas que vivem em pior situação e não têm acesso aos muitos privilégios que desfrutei. Entretanto, independentemente de riqueza ou sucesso, a Bíblia afirma que o ser humano "nasce para as dificuldades tão certamente como as fagulhas voam para cima" (Jó 5.7).

A exemplo de outras famílias, também enfrentamos dificuldades. Fui criticado injustamente (e algumas vezes justamente, claro) e acusado falsamente; nossos filhos sofreram ferimentos, amarguraram perdas e decepções no amor, e alguns parecem ter levado mais tempo para terminar a faculdade que os israelitas para chegar à terra prometida; quase perdemos um filho na enfermaria do hospital depois de uma cirurgia de rotina; e a lista não acaba aqui.

Quando ensinei aos garotos o princípio de nunca desistir, me referi principalmente à atitude de levar na esportiva. Quando se leva uma surra no jogo de tênis ou na mesa de pingue-pongue (praticamente perdendo de zero), não é apenas questão de não desistir, mas de continuar jogando o melhor possível. E não somente pela possibilidade (ínfima) de vencer, mas porque temos a obrigação de fazer o melhor diante do oponente. Trata-se simplesmente da coisa certa a fazer.

Em contrapartida, os frutos dessa atitude serão colhidos mais tarde, quando surgirem as dificuldades, como ter de trabalhar sob a supervisão de um chefe ruim, ser forçado a um emprego medíocre apenas para pagar as contas, ou simplesmente ter de fazer alguma coisa sem gostar apenas para beneficiar outra pessoa.

Em seu livro *Hedges*, você começa comentando que as "regras puritanas" que incorporou em sua vida "são para proteger meus olhos, meu coração, minhas mãos e, portanto, meu casamento". Sabemos que a tentação assume várias formas. De que maneira você e Dianna lidaram com isso ao longo dos anos e como o livro se aplica atualmente à nossa "sociedade saturada de sexo"?

Não deveria me surpreender, mas esse livro (hoje em sua terceira edição e ainda distribuído depois de 25 anos) é mais necessário que nunca. Quanto mais predominante o adultério e o divórcio entre cristãos e líderes cristãos, mais essa situação parece aceitável.

As pessoas ainda consideram puritana minha insistência em não viajar nem encontrar ou jantar sozinho com uma mulher desconhecida, apesar de todos os perigos envolvidos. Gosto de pensar que superei as tentações e estou quase certo de já ter ultrapassado, e muito, aquela idade em que alguém arriscaria a própria reputação por minha causa. Ainda assim, mantenho minha regra por questão de aparência, pois quem se preocupa com a aparência das coisas aprende a lidar com elas tais como são. O fato de eu evitar encontros com mulheres desconhecidas impede o surgimento de rumores. Então, caso alguém deseje arruinar minha vida construindo uma imagem ruim a meu respeito, a barreira de proteção que edifiquei frustrará tal tentativa.

Apesar disso, com a pornografia a um mero clique de distância, mesmo das crianças, não sei como pais jovens sobrevivem sem um forte sistema de monitoramento da internet. Sucessivas gerações têm declarado estar cada vez mais difícil educar as crianças; e é difícil argumentar o contrário quando se observa a geração atual.

Sua família aumentou de cinco para quinze. Que impacto seus netos, incluindo os adotados, causaram em você e Dianna?
Nós nos tornamos o protótipo dos avós chatos, desses de fotografar e filmar tudo o que os netos fazem e depois sair mostrando para todo mundo. Seríamos os avós mais insuportáveis da face da terra, exceto pelo fato de que nossos netos são verdadeiramente o máximo. Pode perguntar a qualquer um.

Nosso filho mais velho tinha três filhos próprios e nosso segundo filho tinha dois, quando ambos decidiram adotar. Primeiro chegou Max, de Bangcoc, cujo processo se estendeu de tal maneira que mais parecia uma gravidez de vários anos (conforme comentaram as mulheres da família). Depois disso vieram Jalen e Chelsea, do Kansas.

A enorme emoção que Dianna e eu temos a respeito de nossos netos está ligada ao fato de que, embora amemos profundamente nossos filhos e suas respectivas esposas, sem mencionar o orgulho que temos deles, caso não fizessem nada mais para o resto da vida, a adoção dessas crianças já seria suficiente. Obviamente, nem eles nem nós vivemos no mundo da lua. Conhecemos muito bem os desafios, tanto os atuais como os futuros. No entanto, o fato de terem aceitado essa incumbência como um ato de obediência e serviço não poderia ter nos deixado mais felizes.

Quais suas preocupações com relação à sua família à luz das mudanças rápidas e dos desafios de nossos dias?
Muito me intrigou a existência de um ranço de racismo entre meus ancestrais, o qual minha mãe conseguiu de alguma forma superar — a ponto de eu ter ficado estarrecido com essa descoberta em minha adolescência, uma vez que mamãe nos ensinara exatamente o oposto. Nossos filhos, a terceira geração de nossos ancestrais, foram os primeiros a adotar crianças

afrodescendentes. Então, em algum lugar por aí, meus antepassados devem estar se revirando no túmulo. Nossas fotografias de Natal parecem cartões-postais das Nações Unidas.

Dianna e eu estamos encantados com a aparência e os sentimentos que percebemos em nossa família, mas nos preocupamos com os desafios que nossos netos afrodescendentes enfrentarão mais à frente em nossa sociedade racista.

Por enquanto nos deslumbramos com a preciosa inocência deles. Certo dia, nossa neta afrodescendente de 4 anos gritou ao pai na piscina pública: "Pai, olha só! Olha aqui, pai!". Então outra menina se virou para ambos e comentou: "Como ele pode ser seu pai?". Chelsea inclinou a cabeça para o lado, completamente perplexa com a pergunta. "Ora, porque ele é engraçado!".

Em seus livros, você comenta com franqueza a respeito de seus pontos fortes e fracos. Isso também ocorre no relacionamento conjugal?
Com certeza. Não há como se esconder quando se vive dia e noite com a mesma pessoa desde 1971. Stephen King escreveu que um dos segredos de um autor de ficção bem-sucedido é casar-se com uma mulher que não se deixa enganar por você nem por qualquer outra pessoa. Foi exatamente o que fiz.

Quais os maiores benefícios atuais de estar casado por tantos anos?
A familiaridade traz certa medida de conforto. Não deixamos que as peculiaridades de cada um se tornem irritantes. Conhecemos os hábitos um do outro e as coisas que nos agradam ou desagradam. Por exemplo, gosto de comida com tempero forte e ela prefere tempero suave, mas sei quanto ela é capaz de tolerar e posso adivinhar se vai ou não gostar de determinado prato.

Em uma sala cheia, muitas vezes nos comunicamos apenas com um olhar. Para mim, lar continua sendo qualquer lugar onde ela estiver. Minha viagem mais prazerosa, portanto, é quando volto para ela. Ainda gosto de observá-la e continuo sentindo aquele friozinho na barriga quando a vejo chegando.

Dianna gosta de esportes?
Muito! E nossos filhos amavam essa característica dela, pois sempre os lembrava dos horários dos jogos na TV e nunca perdeu uma única partida deles nos campeonatos da escola. Ela ainda assiste comigo a jogos de beisebol, basquete e futebol americano na televisão.

Como vocês lidam com as dificuldades no casamento?
Adotamos o lema "tudo passa" para lidar com aquelas fases difíceis, mas devo confessar que não passamos por coisas tão difíceis como muitos por aí. Não consigo imaginar como seria sofrer uma tragédia em nossa família. Gosto de pensar que nossa fé se mostraria forte o suficiente se houvesse uma grande provação.

Moramos em Black Forest, no Colorado, região devastada por um incêndio que destruiu mais de quinhentas casas há mais de um ano. Estávamos a poucos quilômetros ao sul da pior parte do incêndio. A salvação de nossa casa se deveu ao capricho do vento. Temos amigos que perderam tudo.

Posso dizer que, durante aquela semana caótica, sem a mínima ideia se o vento sopraria em nossa direção e destruiria todos os nossos bens, senti uma paz profunda. É óbvio que teria sido devastador ter perdido um lar repleto de boas memórias, mas o importante é que todos estavam a salvo. No final das contas, todo o restante não passa de bugiganga, dissemos a nós mesmos.

Parte 2

4

Onde viver, o que fazer...

"Em primeiro lugar Deus, em segundo a família e em terceiro o trabalho" é o que se costuma dizer. Embora acreditemos nisso e tentemos viver em conformidade, verdade seja dita: para muitos, o trabalho consome a maior parte do tempo. E tanto pode ser uma fonte maravilhosa de realização quanto tornar a vida miserável. A expectativa de viver de outra maneira depois de parar de trabalhar, de se aposentar ou seja lá o que vier em seguida é uma sensação enérgica e perturbadora. E tudo isso tem um impacto profundo no casamento.

Uma esposa comentou:

> Sempre disse que "o trabalho não retribui nosso amor por ele". Meu marido se aposentou cedo e, por muitos anos, levamos vidas separadas — eu saindo para trabalhar todos os dias, ele permanecendo em casa. Comecei a pensar e a me questionar: "É isso o que quero fazer pelo resto da vida? E se um de nós adoecer?". É muito fácil cair na rotina. E, quando nos damos conta, meses se transformaram em anos e, de repente, chegamos aos 70 anos nos perguntando o que aconteceu.

"Ninguém chega ao fim da vida com remorso por não ter passado mais tempo no escritório", diz um provérbio popular. Verdade, mas ainda temos de pagar as contas. Pessoas abençoadas com um trabalho satisfatório, realizadas por contribuir com o reino de Deus e ainda desfrutando boa saúde talvez não sintam o desejo de se aposentar por completo. Consegui realizar a transição com um acordo mais flexível e estou muito feliz.

Apesar disso, ainda me questiono a respeito do futuro. Imagino que todas as pessoas nesse estágio da vida fazem o mesmo.

À medida que adentramos a segunda metade do casamento, poucos assuntos se mostram mais complexos que a questão do trabalho: que perspectivas restam, quando parar e o que fazer com a vida naquele período assustador e convidativo conhecido como "aposentadoria". Nesse sentido, o burburinho da mídia a respeito do futuro tenebroso da geração pós-guerra (isto é, de como esse pessoal não guardou dinheiro suficiente para a velhice) não ajuda em nada. Ao mesmo tempo, muitos casais se sentem eufóricos com essa ideia, talvez com planos de mudar de casa, começar um novo negócio, ter mais oportunidades para servir ao reino ou mesmo viajar. Outros, porém, não estão tão certos a respeito de "pendurar as chuteiras". Conhecemos uma mulher muito próxima da aposentadoria. Depois de décadas trabalhando como assistente social, ela planeja acompanhar o marido em algumas de suas viagens de negócios. Embora admita que a aposentadoria *poderia* ser interessante, ainda restam muitas variáveis desconhecidas. Outros, especialmente aqueles que ainda bancam a faculdade dos filhos, continuam trabalhando pesado depois dos 65 anos.

Então, como decidir? Existe alguma orientação confiável?

"QUEREMOS MORAR PERTO DOS FILHOS"

Ken e Carolyn estão passando por essa dificuldade. Ele é planejador financeiro, pastor, escritor e angariador de fundos; ela, sócia nos negócios e atualmente também funcionária de uma universidade. Estão curtindo muito a vida atual no sul da Califórnia, mas Carolyn se preocupa com o futuro depois da aposentadoria: "Temo o que me acontecerá depois de parar de trabalhar. Moramos em um lugar ótimo, porém caríssimo; mas queremos estar perto de nossos filhos. Na verdade, estamos tão atarefados no momento que sinto calafrios em conversar sobre ou mesmo imaginar como será o futuro".

Ken dá risada. "Estou em total negação quanto ao fato de estar entrando na casa dos setenta!" Ele ainda trabalha em tempo integral como angariador de fundos para um ministério importante, mas ama escrever e sonha com a possibilidade de transformar o *hobby* em profissão. Também sonha passar mais tempo com Carolyn.

"Gostávamos demais do arranjo que criamos para nossa empresa: eu atendia os clientes e ela cuidava do escritório. Apesar disso, é muito gostoso ver a alegria dela em trabalhar para a universidade. Todo mundo gosta dela ali".

Embora Ken comemore a alegria da esposa em ter se encontrado profissionalmente, conhece muito bem as dificuldades e os obstáculos de uma carreira profissional. "Aos 58 anos, abandonei meu negócio e me tornei pastor, minha antiga formação de faculdade, mas não deu certo. Anos atrás, vi uma capa da revista *Time* mostrando um cara deitado de bruços na praia e embaixo os dizeres: 'Executivos brancos encalhados'. Era assim que me sentia."

Ken e Carolyn foram forçados a se mudar de um sítio maravilhoso nos arredores de San Diego para a pequena e movimentada Orange. "Nosso sítio era um amor", comentou

Carolyn. "À noite tudo ficava escuro e quieto, mas aqui há muito barulho. Foram dois anos de adaptação. Nesse ínterim, falávamos tanto a respeito da antiga casa que possivelmente acabamos prolongando ainda mais nosso sentimento de perda."

Todavia, eles perceberam que Deus pode transformar perdas em ganho.

Ken observa: "Conheço um cadeirante que diz: 'A vida que tenho hoje eu jamais a teria não fosse por essa cadeira de rodas'. Penso nas coisas que jamais teríamos realizado se não tivéssemos passado por essa experiência de perda. Não que isso torne a perda menos dolorida, mas ajuda a equilibrar as coisas".

AUTOQUESTIONAMENTO NECESSÁRIO

A experiência de Ken e Carolyn ilustra duas realidades comuns que muitos casais enfrentam na segunda metade do casamento. A primeira é a mudança de vocação. Para Ken, significou encerrar sua empresa e entrar no ministério, transição que lhe rendeu experiências pouco positivas. Carolyn deixou sua função de planejadora de negócios para trabalhar em uma universidade, transição que lhe proporcionou uma nova vocação e experiências muito positivas. Como se vê, nem sempre é possível prever se uma mudança vocacional trará experiências boas ou ruins, embora obviamente sempre ansiemos pelas positivas.

Ao contemplar uma mudança vocacional, é extremamente importante aprender tudo o que for possível a respeito dos requisitos da nova função. Sonhos e desejos jamais devem substituir avaliações realistas. A nova função se encaixa em minha personalidade e em minhas habilidades vocacionais? Quanto tempo ela exigirá de mim em relação ao trabalho antigo? Terei de adotar um novo estilo de vida (por exemplo, viajar)? Haverá diferença de salário? Se for menor, estou disposto a fazer ajustes no estilo de vida? O trabalho tem algum potencial de melhorar meu casamento ou o afetará negativamente? Por quanto tempo tenho condições de *realizar* esse trabalho? Essas questões precisam ser respondidas antes de se implementar uma mudança vocacional.

A segunda realidade que muitos casais enfrentam é a mudança de moradia. Ken e Carolyn tiveram de sair de um lugar bucólico para uma cidade movimentada. Esse tipo de transição pode ser traumático. Algumas vezes o casal decide mudar de cidade a fim de morar mais perto dos filhos. Nesses casos, é comum não calcularem que os filhos também podem se mudar dali posteriormente. Seguir os filhos nem sempre é uma decisão sensata.

De fato, uma série de questões precisa ser respondida ao se pensar em uma mudança. Como isso afetará minhas finanças? Não basta avaliar os custos da mudança e do aluguel (ou compra) do imóvel; é necessário também avaliar os impostos relacionados à propriedade. Qual é a motivação principal? Vocês estão preparados para abandonar as amizades em sua antiga cidade? Como cada um de vocês está emocionalmente? Um cônjuge que atravessa uma fase depressiva pode piorar se forçado a mudar de casa. Conversar com amigos da mesma idade que porventura tenham mudado para outros lugares pode ajudar a pintar um quadro mais realista daquilo que os aguarda nesse tipo de transição.

Mudanças vocacionais ou de cidade podem ser extremamente positivas para o casamento. Em contrapartida, também podem ser um desafio enorme. Por isso, tais decisões sempre devem ser tomadas apenas depois de se obter o máximo possível de informação a respeito das implicações.

"TUDO O QUE TEMOS FEITO É CONVERSAR, CONVERSAR E CONVERSAR"

Eis a estratégia de Jane e Rich, casal que ainda se debate com a pergunta "Onde morar agora?". Jane contou a seguinte história:

> Alguns casais ingressam na aposentaria sem nenhuma preocupação quanto à situação futura. Por exemplo, alguns amigos já decidiram, sem nenhuma dúvida, que depois de se aposentarem se mudarão para a serra de Ozark, local que amam e visitam com frequência. Outros amigos também já tinham a questão resolvida: compraram a casa dos sonhos no Arizona e se mudaram para lá depois da aposentadoria. Era o lugar que sempre desejaram viver.
>
> Não posso dizer o mesmo com relação a mim e a meu marido, Rich. O planejamento dessa próxima fase do casamento não tem sido fácil. Embora haja certa dose de euforia, ainda há muita confusão e emoção. Dez anos atrás pensávamos em viver nossa aposentadoria em uma cabana nas montanhas próximo a Durango ou Asheville. Hoje, porém, temos de levar em consideração a necessidade de assistência médica e a situação dos netos. Essas questões de ordem prática alteraram a geografia de nosso sonho para uma casa na Flórida.
>
> Verdade seja dita, nunca desejei morar na Flórida; sempre preferi as montanhas. Em contrapartida, Rich odeia o frio de Chicago, mas ama a praia. Começamos a nos adaptar ao litoral há aproximadamente cinco anos, época em que a mãe dele passou a morar em um lar de idosos na costa da Flórida e, coincidentemente, em que nasceu nosso primeiro neto naquelas

redondezas. Nosso ritual hoje é viajar uma vez por ano para lá, o que desencadeou muitas conversas acaloradas a respeito de nos mudarmos definitivamente ou não para a Flórida.

Meu marido sabe o que quer, mas eu ainda tenho dúvidas. Tenho muita vontade de morar perto de nossa filha mais velha, mas a mais nova e meus pais continuam morando a um dia de viagem de Chicago. Qualquer decisão que tomarmos significará morar longe de parte da família. Tem sido muito difícil para mim.

Embora desejemos ficar perto dos filhos e dos netos, meu marido e eu percebemos a necessidade de escolher um caminho em conformidade com o que é melhor para nós como casal. Entretanto, também sabemos isto: não faz sentido mudar para um lugar longe da família toda. Então, tudo o que temos feito é conversar, conversar e conversar. Imaginamos vários cenários e conversamos livremente (e frequentemente) sobre cada possibilidade. À medida que esclarecemos a direção a tomar nesse novo estágio da vida, cada um vai absorvendo um pouco da perspectiva do outro. Rich quer que eu seja feliz e desejo a ele a mesma coisa. Estamos aprendendo mais a respeito dos sentimentos um do outro, mesmo depois de 38 anos de casamento.

Esse período, por mais desafiador que pareça, tem gerado discussões importantes a respeito de nossas necessidades individuais e objetivos matrimoniais: pessoais, familiares e financeiros. Embora o início dessa conversa tenha sido conturbado, hoje estamos unidos em nosso desejo de alcançar o "final feliz" um para o outro. Ainda não colocamos a placa de "vende-se" na frente da casa em Chicago.

"Não tenho medo nenhum"

O que acontece quando se tem um emprego ruim ou mesmo prejudicial à alma? E o que acontece quando perdemos esse emprego?

John e Carole experimentaram coisas boas e ruins ao longo dos anos: trabalho gratificante com colegas excelentes; dias difíceis e desanimadores que causaram mágoas e irritação. E agora John perdeu o emprego.

Ambos comentaram que vieram de famílias disfuncionais. Hoje, com os filhos morando fora de casa, algumas vezes passou pela mente deles o pensamento: "Por que não se divorciar como tantos outros casais? Por que não buscar felicidade em outro relacionamento?". Entretanto, decidiram permanecer juntos e continuar navegando as águas turbulentas da vida. Mas como venceram as fases árduas do casamento que leva muitos a desistir? Como encaram o atual desafio do desemprego? Uma resposta talvez esteja na maneira como lidaram com uma visita inesperada logo no início do casamento.

"Meus pais brigavam muito", comentou Carole, "mas minha mãe retornou à fé por causa da Tootie." Tootie, portadora da síndrome de Down, era irmã de Carole. Tootie e a mãe viviam na casa de parentes em uma espécie de rodízio. Pouco depois do nascimento do primeiro filho de John e Carole, chegou a vez deles de hospedar as duas. Naquela época Carole estava de licença-maternidade. Em outras palavras, cinco pessoas apinhadas em uma casa pequena.

"Podemos morar aqui?", perguntou a mãe de Carole.

Enquanto relata a história, Carole olha para o marido. "Respeito muito a paciência de John com minha mãe e Tootie. O pai dele nunca gostou de receber parentes".

John fez mais que agir com paciência: mudou-se para uma casa maior a fim de acomodar todos. O "sacrifício" trouxe muitas coisas boas. Tootie morou 25 anos e meio com eles antes de falecer. Embora com limitações graves, Tootie era muito esperta emocionalmente e estava sempre disposta a alegrar qualquer um com seu canto.

"Ela era muito divertida", comentou John. "Não era peso nenhum para nós."

"Eram a minha família, mas John as acolheu", comentou Carole. "Nossos dois filhos cresceram com a inocência de Tootie e com a presença da avó. Sabiam que não era um mundo perfeito, mas não se importaram com isso."

John acrescentou: "Tootie influenciou os garotos a ponto de hoje serem compassivos e bondosos como ela". Uma situação que poderia ter ensejado divórcio prematuro se transformou em um objetivo mútuo e um elo fortíssimo de relacionamento familiar.

"Meu pai não era um homem amoroso", comentou John. "Por falta de bom exemplo, nunca soube como agir amorosamente." Ele acrescenta que poderia ter feito mais, "mas, quando observo minha esposa e filhos, penso que fiz melhor que meu pai".

"Muito melhor!", confirmou Carole.

Entre outras coisas, John rompeu com o padrão paterno ao enfrentar as turbulências do trabalho por meio de seu compromisso sério com Carole. Ambos se referiram à fé como "a essência que nos une".

Ainda assim, a fé precisa de apoio. Recentemente, encontraram nos livros e *podcasts* de Tim Keller uma faísca de renovação que os tem levado de volta aos "fundamentos". Em momentos de ansiedade, John fazia a oração do Pai-nosso. "Algumas vezes eu nem sequer conseguia passar do 'Pai-nosso', pois pensava: 'Uau, posso chamá-lo de Pai!'. Então eu me lembrava de todas as passagens bíblicas que se referem a Deus como Pai-nosso."

Durante aquele período desempregado, John refletiu como seria a vida de divorciado e percebeu que não seria mais feliz separado de Carole. Além disso, entendeu que os filhos tinham necessidade de que permanecessem juntos. "Teria sido um baque tremendo na vida deles", comentou. "Estabelecemos um compromisso muito sério um com o outro. Precisamos pensar nisso, pensar nos votos de casamento!"

Apesar daquele período difícil de desemprego, sem mencionar a aproximação da aposentadoria, ambos permaneceram esperançosos a respeito do futuro. "Quinze anos atrás eu estaria paralisada de medo por ele estar desempregado", comentou Carole. "Mas agora não tenho medo nenhum."

CELEBRANDO AS ESCOLHAS

Ao rever o passado de seu casamento, o leitor talvez consiga se identificar com John e Carole. Talvez tenha enfrentado alguma situação familiar inesperada que colocou enorme pressão sobre seu casamento. Talvez tenha considerado a opção de se divorciar, mas, por meio da graça de Deus, enfrentou a tentação e permaneceu firme. Nesse caso, seria interessante separar um momento para comemorar as boas escolhas que fez a despeito de todos os obstáculos inesperados pelo caminho. Um momento de celebração, para mim e para Karoline, foi numa ocasião em que nosso filho, ao retornar para casa no início das férias da faculdade, colocou uma mão no meu ombro e outra no ombro da minha esposa e disse: "Quero agradecer a vocês por permanecerem juntos. Sei que tiveram dias difíceis no início do casamento, mas sou muito grato por não terem desistido. Alguns colegas da faculdade não retornarão para casa neste Natal em razão de os pais terem se divorciado enquanto estavam fora. Agora, por não saber com quem ficar, se com a mãe ou o pai, decidiram permanecer no *campus*".

Ficamos muito tristes por causa daqueles jovens, mas a mensagem de nosso filho nos trouxe grande ânimo. Pais que enfrentaram dificuldades e permaneceram casados tempo suficiente para aprender a amar, estimular e apoiar um ao outro contam com a gratidão dos filhos por terem continuado juntos.

"LEMBRO-ME TAMBÉM DO QUE PODE ME DAR ESPERANÇA"
John e Carole não estão sozinhos na questão da falta de emprego. Vivemos em uma época de desemprego e de escassez de trabalho, de trabalhadores mais antigos sendo dispensados ou forçados a sair, resultando na perda do senso de identidade e segurança. A procura de um novo emprego geralmente desencadeia uma série de frustrações.

A ruptura da economia global tem causado estrago na indústria e na vida pessoal. Alan e Marie, por exemplo, atravessam hoje uma fase de ruptura após anos de trabalho árduo para quitar débitos de um tratamento caríssimo de câncer que Marie enfrentou anos atrás. Durante duas décadas esse casal trabalhou duro e economizou para saldar aquela dívida. Recentemente, porém, Alan, até então empregado por muitos anos na mesma companhia e justamente na véspera de finalmente saldar antigos empréstimos, recebeu um aviso de rebaixamento de salário.

Peso demais para suportar. "Fiquei furiosa", comentou Marie. "Era só o que faltava!"

Em relação ao tratamento de câncer, comentou que "se havia inferno na terra, com certeza era a quimioterapia". Uma amiga que havia passado por tratamento semelhante cavara um buraco no quintal com o propósito de aliviar o estresse. "Quando a situação se tornava insuportável", disse Marie, "eu quebrava vidro naquele buraco. Quando a raiva me subia à cabeça, essa amiga me chamava para estilhaçar vidro, e lá ia eu atirar potes de vidro no buraco. Aquela quebradeira me fazia sentir alívio."

Marie ainda lidava com a doença quando ela e o marido receberam outra pancada: um filho enfermo de doença grave, doses maciças de tratamentos médicos, despesas exorbitantes. Alan se referiu àqueles oito anos seguintes como um período "de dor fatigante e implacável. Por muito tempo me senti como se Deus houvesse abandonado a mim e à minha família".

Certo dia, encontrou passagens bíblicas que o levaram a perceber que não havia problema em se *sentir* abandonado por Deus e clamar a ele em meio à dor. A exemplo do salmista no salmo 88, ele estava livre para orar sem se preocupar em esconder seus sentimentos.

Alan percebeu essa mesma autenticidade ao ler o livro do "profeta chorão". Em Lamentações 3, Jeremias reclama que Deus "me impeliu e me fez andar na escuridão [...] e não posso escapar [...] arrancou-me do caminho e despedaçou-me, deixando-me abandonado" (Lm 3.2,7,11).

Não é o tipo de passagem bíblica a que as pessoas geralmente recorrem para recobrar o ânimo! No entanto, a angústia do profeta mexeu com Alan e o libertou para expressar dor e outros sentimentos profundos. Percebeu que as palavras lúgubres do profeta aos poucos começaram a tomar a direção da luz: "Lembro-me bem disso tudo, e a minha alma desfalece dentro de mim", escreveu Jeremias. "Todavia, lembro-me também do que pode me dar esperança: [...] suas misericórdias são inesgotáveis. Renovam-se cada manhã; grande é a sua fidelidade!" (Lm 3.20-23).

Alan se identificou com o profeta na frase "lembro-me também do que pode me dar esperança". Apesar dos problemas, ele manteve a esperança viva por meio do exemplo de coragem de Jeremias.

O que pode me dar esperança. Nas palavras de Alan: "Na angústia da escuridão, o que nos mantém esperançosos é a lembrança do amor e das misericórdias inesgotáveis de Deus".

Os problemas da vida, porém, não param. Três semanas depois de nossa entrevista, Alan recebeu a notícia de que sua jornada de trabalho havia sido reduzida para quatro dias semanais, reduzindo seu salário (já defasado) em vinte por cento. A reação de Marie a essa notícia foi muito diferente de seu comportamento anterior. A exemplo de Alan, ela se apegou com firmeza aos tesouros espirituais e encontrou consolo na lembrança de que o próprio Jesus sofreu horrores: "Neste mundo vocês terão aflições; contudo, tenham ânimo! Eu venci o mundo" (Jo 16.33).

O primeiro pensamento em relação ao novo rebaixamento de salário foi cortar a oferta especial de final de ano à igreja, uma vez que sobraria pouco para eles. Marie, porém, orou e sentiu paz renovada a respeito da contribuição.

Em suas palavras, era como se Deus estivesse dizendo: "Confie em mim".

Alan e Marie mantiveram a esperança por um longo tempo, mesmo em circunstâncias que pareciam impossíveis em termos médicos. Algumas dessas esperanças se realizaram extraordinariamente. Seus dois filhos hoje vivem bem e todos desfrutam as bênçãos da nova nora, que trouxe uma dose adicional de entusiasmo à família.

LIBERTANDO-SE DA RAIVA

O casal acima demonstra a importância da espiritualidade em situações de desemprego e revés financeiro. Quão fácil é amaldiçoar a empresa que nos tratou injustamente. Contudo, passar tempo demais focado na injustiça, permitindo que a raiva destrua o bem-estar, impede-nos de experimentar a paz que resulta de compartilhar nossa dor com Deus e permitir que ele console nosso coração.

Perder o emprego ou ser tratado injustamente são momentos oportunos para buscar orientação de Deus. Antes de dar prosseguimento à vida, porém, é necessário entregar a raiva e a dor a Deus e confiar nele para orientar o futuro. Deus costuma usar pessoas para isso; compartilhe, então, sua necessidade de trabalho com os amigos. Dedique o dia a procurar emprego em vez de trabalhar. No tempo certo, Deus proverá e o ajudará a amadurecer durante o processo.

COMO SE PLANEJAR?

Considerando-se as alegrias, as dificuldades e o estresse do trabalho, a aposentadoria parece uma coisa boa, certo? Conforme comentou uma esposa: "Recentemente, um casal que conhecemos há mais de trinta anos acabou de entrar na aposentadoria. O marido tem exatamente a minha idade. É o primeiro casal de conhecidos a se aposentar verdadeira e oficialmente, ao contrário de outros semiaposentados que continuam trabalhando ou foram forçados a se aposentar por não ter encontrado outro emprego. Imaginei como seria estar no lugar deles, como seria não me preocupar mais com o trabalho. Honestamente, não gostei da ideia. Porém...".

Imaginei como seria estar no lugar deles, como seria não me preocupar mais com o trabalho.

Conversamos com um homem de 61 anos que necessitou de uma licença de três meses para tratar o joelho. Esse sujeito se sentiu aliviado ao retornar ao trabalho. Segundo ele, estava enjoado de ficar em casa sem fazer nada, só assistindo à televisão.

A esposa dele também ficou aliviada. "Ela me pedia para sair, ir a algum lugar, qualquer lugar, e eu respondia me escondendo em algum canto da casa onde ela não me visse.

'Saia daí, vá passear', dizia ela, e eu respondia: 'Por que *você* não vai a algum lugar?', e ela: 'Eu já estava aqui antes de você.'"

O dilema desse homem me faz lembrar um sujeito que disse o seguinte a respeito da aposentadoria: "O dobro de esposa por metade do salário".

"Um amigo na Flórida está aposentado há dois anos", comentou esse sujeito, "e sua esposa insiste o tempo todo para que ele encontre um emprego, um *hobby, qualquer* coisa. Meu conselheiro financeiro me informou que eu poderia me aposentar hoje se quisesse. De jeito nenhum!"

Entretanto, como qualquer pessoa com alguns anos de "experiência" nas costas pode confirmar, nem sempre controlamos o que pretendemos fazer ou deixar de fazer. Ninguém garante boa saúde. Além disso, até o empregado mais leal e prestativo pode ser demitido e empresas pequenas podem ir à falência. Ou, num belo dia, os parentes batem à porta, a exemplo do que aconteceu com John e Carole.

Três perguntas

Continuar trabalhando ou se aposentar? Como se planejar em um mundo cada vez menos previsível? Quais questionamentos são necessários ao se pensar em aposentadoria?

Primeira pergunta fundamental: Quero me aposentar? Para alguns, trata-se de uma questão de saúde: muitas pessoas simplesmente não têm mais força para continuar trabalhando. Outros trabalharam sob muita pressão, de modo que estão emocionalmente preparados para abandonar esse estresse. Outros querem liberdade para viajar, jogar golfe todos os dias ou passar mais tempo com os netos. Alguns desejam dedicar tempo a viagens missionárias, à congregação local ou à comunidade. Existem razões boas e não tão boas para se aposentar. No fim das contas, porém, cada casal deve responder honestamente à questão: Por que quero me aposentar?

Segunda pergunta fundamental: O que fazer com a vida de aposentado? Procure ser realista em sua resposta. Alguns se aposentaram com a intenção de jogar golfe, mas depois de três meses notaram que o interesse pelo esporte diminuiu. Em contrapartida, um amigo comentou recentemente: "Agora que me aposentei, estou explorando algumas coisas que sempre desejei fazer, mas nunca tive tempo. Por exemplo, este semestre me matriculei em um curso de arte numa faculdade perto de casa. Sempre quis pintar e estou curtindo bastante". Outro amigo comentou: "Desejei ler um monte de livros esses anos todos, mas nunca sobrava tempo. Agora estou tirando o atraso. Alguns dias leio na biblioteca, outros em minha cafeteria preferida. Recentemente descobri que a igreja é um lugar tranquilo para ler. Tem sido ótimo". A questão fundamental aqui é a seguinte: em geral, pessoas que se aposentam com um planejamento específico de como utilizar o tempo desfrutam melhor a aposentadoria. Em contrapartida, aqueles que se aposentam sem planos específicos geralmente se sentem bastante entediados.

Terceira questão fundamental: Tenho condições financeiras para me aposentar? Não existe questão mais arbitrária que a quantia necessária para se aposentar. Contudo, sugerimos que o leitor busque a ajuda de um consultor financeiro para seu planejamento. A aposentadoria exigirá mudanças no estilo de vida de alguns. É possível que suas contribuições previdenciárias não permitam que você continue vivendo no mesmo nível a que está acostumado. Seja realista a respeito de sua posição financeira. Isso o ajudará a tomar decisões sábias no planejamento de sua aposentadoria.

Cremos que o ser humano foi criado para trabalhar. Em Gênesis, Deus ordenou seis dias de trabalho e um de descanso. O trabalho tem significado na medida em que aprimora a vida da família e dos demais. O objetivo de vida do cristão é servir a Deus por meio do serviço aos outros. Idealmente, vocação cristã significa investir tempo em projetos que beneficiem o ser humano. É por essa razão que determinados tipos de trabalho não são apropriados para o cristão. Quer recebamos salário, quer trabalhemos como voluntários, tudo se resume a trabalhar e servir ao próximo.

Anos atrás, estava (eu, Gary) na Tailândia quando encontrei Gary e Evelyn Harthcock, casal de oitenta e poucos anos que morava ali havia alguns anos e ensinava inglês aos nativos. O currículo deles era a Bíblia. Além de ensinar inglês, compartilhavam as boas-novas a respeito de Cristo. Perguntei como se sustentavam. "Temos a aposentadoria do governo e recebo uma pequena pensão de uma empresa onde trabalhei. É tudo de que precisamos", respondeu ele. Perguntei quanto tempo pretendiam ficar ali. "Tanto quanto nossa saúde nos permitir. Não temos intenção de mudar para a Flórida e ficar sentados em uma cadeira de balanço esperando a morte chegar", foi a resposta.

Jamais teremos vivido o suficiente para nos aposentar do serviço a Deus.

Nunca esqueci as palavras daquele senhor. Gostaria que todos os cristãos tivessem essa atitude.

Jamais teremos vivido o suficiente para nos aposentar do serviço a Deus. Albert Schweitzer passou o resto da vida servindo como médico na antiga África Equatorial Francesa. Ao ser agraciado com o Prêmio Nobel, comentou o seguinte: "Uma coisa sei: os únicos felizes entre vocês serão aqueles que buscarem e encontrarem maneiras de servir".[5]

5

Sentindo prazer sexual depois de tantos anos

Para este capítulo, concluímos que seria mais produtivo Gary vestir o jaleco de professor e tratar diretamente da sexualidade conjugal no período da melhor idade. Alguns conselhos talvez sejam conhecidos, mas esperamos que outros fatos e opiniões tragam novas elucidações. Ao final do capítulo, apresentamos dicas para melhorar o sexo no casamento. A intenção dessa lista é propor novas ideias para falar com seu cônjuge sobre esse aspecto muito importante de seu casamento.

Ouvimos várias respostas quando entrevistamos pessoas a respeito da sexualidade na segunda metade do casamento. Uma esposa exclamou: "Sexo, o que é isso?", e soltou uma gargalhada. Ficamos com a impressão de que sexo era coisa do passado para ela. Outra esposa respondeu: "Melhor que nunca. Os filhos saíram de casa e agora estamos nos divertindo". Um marido respondeu: "A parte sexual do casamento sempre foi importante para nós. No início tivemos de trabalhar muito para compreender as diferenças entre homem e mulher, mas agora, na segunda metade, estamos colhendo os frutos daquele esforço". Outro marido confessou: "Tenho de admitir que esse assunto sempre foi motivo de conflito entre nós; até hoje, em nossa segunda metade, nos debatemos com isso". O grau de satisfação dos casais quanto à vida sexual foi muito variado, passando por positivo, negativo ou mesmo inexistente no relacionamento.

Acreditamos que o sexo no casamento é uma questão extremamente importante para o cristão. A Bíblia trata claramente da sexualidade humana. O relato da criação informa que o próprio Deus, depois de observar Adão, disse: "Não é bom que o homem esteja só" (Gn 2.18). Em resposta à solidão do primeiro homem, Deus criou Eva e disse: "e eles se tornarão uma só carne" (Gn 2.24). Muitos comentaristas bíblicos acreditam que o termo "uma só carne" se refere principalmente ao ato sexual.

Algo acontece na relação sexual que não ocorre em nenhuma outra área da vida.

Algo acontece na relação sexual que não ocorre em nenhuma outra área da vida. Não se trata simplesmente da união de dois corpos (afinal, um simples aperto de mão bastaria). A experiência sexual conduz marido e esposa ao nível de união mais profundo possível: não apenas física, mas intelectual, emocional, social e espiritual. Trata-se de uma experiência vinculadora. O oposto de "só". É por essa razão que Deus institui a relação sexual exclusivamente no casamento. Não se trata de uma atividade recreativa entre dois seres humanos, mas de uma expressão singular de amor e compromisso mútuos.

Muitas pessoas perguntam: "Ora, se o sexo é tão importante no casamento, por que Deus nos criou tão diferentes?"; "Por que o homem é mais estimulado pelos olhos e a mulher, por palavras e carinho?"; "Por que o marido tem mais desejo de sexo que a mulher?". Acreditamos que essas e muitas outras diferenças existem porque Deus planejou o sexo para ser um ato de amor no qual homem e mulher buscam oferecer prazer um ao outro. É por essa razão que a satisfação sexual mútua não ocorre automaticamente. Talvez seja por isso que Deus declarou ao antigo povo de Israel: "Se um homem tiver se casado recentemente, não será enviado à guerra [...] estará livre para ficar em casa e fazer feliz a mulher com quem se casou" (Dt 24.5). Casar-se e aguardar o curso natural das coisas provavelmente não trará satisfação mútua na área sexual. Em contrapartida, transformar o sexo em um ato de amor por meio da atitude de buscar a satisfação do outro produzirá realização mútua.

É comum que casais em conflito na segunda metade do casamento também tenham enfrentado conflitos na primeira metade. Mas há boas notícias: não existe idade-limite para aprender. Muitos casais têm encontrado maior satisfação na segunda metade do casamento que na primeira, pois aprenderam a se comunicar com maior liberdade, leram muitos livros, participaram de encontros de casais e descobriram, após muita leitura bíblica, que Deus criou o sexo no casamento para ser usufruído.

Não era intenção de Deus que o sexo fosse colocado de lado depois de certo tempo de casamento. Permanecemos criaturas sexuais para o resto da vida, e podemos continuar nos relacionando sexualmente com o cônjuge durante toda a nossa vida. É certo que nosso corpo sofre alterações conforme envelhecemos. E doenças podem afetar a vida sexual, assim como o uso de medicamentos. Entretanto, independentemente da limitação, marido e esposa devem encontrar meios de satisfazer um ao outro sexualmente. A ideia é dar prazer um ao outro à medida que se partilha de mais intimidade nessa área do casamento.

Mas como manter um relacionamento sexual ativo em meio às mudanças normais que afetam o corpo com o passar do tempo? Comecemos admitindo que a atitude pessoal é um fator extremamente importante. Atitude positiva e disposição para comunicar pensamentos e sentimentos um ao outro à medida que experimentam as mudanças da vida é o caminho para uma intimidade sexual ininterrupta. Em contrapartida, acreditar que o sexo pertence somente aos anos da juventude, restando apenas o amor platônico nos anos finais, é privar a si mesmo e ao cônjuge da intimidade sexual. Vejamos algumas mudanças corporais comuns conforme a idade avança.

MENOPAUSA

A idade em si não limita o desejo ou o prazer sexual. A menopausa, porém, produz mudanças físicas que afetam a sexualidade feminina. Mas o momento de sua chegada varia de mulher para mulher. Pode ocorrer a qualquer momento entre 35 e 70 anos, mas de modo geral ocorre no final da fase dos 40 ou início dos 50.

Menopausa é a cessação do ciclo menstrual, resultante do decréscimo da produção de hormônios nos ovários, mais especificamente o estrogênio e a progesterona. A redução do estrogênio é o principal responsável por diversas mudanças físicas associadas à menopausa, abrangendo o sistema cardiovascular, gênito-urinário, dermatológico, esquelético e neurológico. A ocorrência de ondas de calor, facilmente reconhecida por mulheres e respectivos parceiros, anuncia alterações futuras, desde a falta de lubrificação vaginal até a incontinência urinária ou, ainda, a dispareunia (dor durante a relação sexual). Desconforto ou dor intensa leva a mulher a perder repentinamente o interesse pela intimidade sexual. Esse afastamento pode gerar sentimento de rejeição em seu parceiro. Assim, essas mudanças físicas podem, em um efeito cascata, provocar alterações indesejadas no relacionamento.

Um marido frustrado talvez comece a observar mulheres mais jovens (isto é, exalando estrogênio), o que pode levá-lo a tomar decisões infelizes, gerando consequências de longo prazo. Salientar a importância da comunicação durante a menopausa nunca é exagero.

Todavia, a menopausa não precisa representar o fim da intimidade sexual. A medicina oferece diversas opções para se lidar com a queda do nível de estrogênio. Cremes e óvulos vaginais de uso tópico auxiliam a restauração de tecidos saudáveis. Estudos sobre esses produtos apontam alto índice de sucesso (93% das mulheres relataram melhoras consideráveis; 57 a 75% das entrevistadas disseram não mais sentir desconforto durante a relação sexual).[6] Caso não haja o desejo de utilizar suplementos hormonais, existem outros produtos em farmácias que podem amenizar a situação. Lubrificantes de longa duração permanecem na vagina por até quatro dias e reduzem o desconforto durante a relação sexual; porém, não atuam sobre as causas da falta de lubrificação vaginal. A melhor abordagem é conversar com um médico a respeito das opções disponíveis. Em minha opinião, a pior decisão é abandonar o ato sexual. Há grande probabilidade de um diálogo honesto com seu cônjuge e com seu médico lhe permitirem prosseguir com uma vida sexual saudável.

Para algumas mulheres, essas mudanças corporais decorrentes da menopausa simplesmente indicam a chegada de uma fase da vida em que o sexo deixa de existir e, por isso, mostram-se relutantes em procurar recursos médicos que possam auxiliá-las. O interessante é que essas mulheres não aplicam a mesma linha de raciocínio a outras consequências do envelhecimento. Por exemplo, não veem nenhum problema em usar óculos quando a vista começa a enfraquecer ou em fazer cirurgia para catarata quando necessário. Qual a razão para usufruir dos benefícios da medicina moderna em outras partes do corpo, mas não nos órgãos sexuais?

ANDROPAUSA

Também referida como "menopausa masculina" ou Síndrome do Envelhecimento Masculino (SEM), a andropausa ocorre aproximadamente na mesma idade que a mulher experimenta a menopausa — entre 35 e 70 anos —, porém é mais comum no início dos 50. O desenvolvimento da andropausa é estimulado pelo declínio do nível hormonal, nesse caso a testosterona, hormônio masculino. Essa redução hormonal ocorre de maneira gradual no homem, em contraste ao que ocorre com a mulher, cujo nível de estrogênio decai abruptamente na menopausa. Mas, embora o nível hormonal masculino se reduza gradativamente, com o tempo aparecem mudanças físicas perceptíveis, como perda da energia, alteração do humor e ereção menos rígida. São mudanças esperadas, mas nem sempre ocorrem. Assim, muitos homens continuam mantendo um relacionamento sexual saudável e amoroso com a esposa bem depois dos 60 anos, podendo inclusive chegar aos 80 sem que isso tenha se alterado.

Atualmente, a mídia parece dar a entender que todos os homens com mais de 50 anos sofrem disfunção erétil, mas não é verdade. Tecnicamente, disfunção erétil é a incapacidade de manter ereção total após o período de estímulo físico. A maioria dos homens com mais de 50 anos não sofre de disfunção erétil, mas de um descontentamento erétil; isto é, a ereção não ocorre mais de maneira tão rígida e rápida quanto na juventude, e ficam preocupados. Verdade seja dita, a queda do nível de testosterona altera a ereção. Para alguns homens o processo é gradual; para outros, ele ocorre com mais rapidez. Independentemente do caso, a ereção exige mais estímulo físico, pode demorar mais tempo até alcançar rigidez suficiente e talvez não se apresente tão firme quanto no passado. Não se trata, porém, de disfunção erétil, mas simplesmente de uma mudança normal e inevitável. Mas há boas notícias. Alterações no estilo de vida podem minimizar, adiar ou mesmo reverter temporariamente essas mudanças físicas corporais[7] — por exemplo, entrar em forma, reduzir o consumo de álcool e de medicamentos, parar de fumar, fazer sexo pela manhã (período de maior energia física), reduzir o estresse em outras áreas da vida e desenvolver um relacionamento mais positivo com o cônjuge.

Na verdade, a reação mais lenta do órgão sexual masculino pode intensificar o ato sexual. Casais jovens geralmente têm problemas em razão de o homem alcançar o estímulo mais rápido que a mulher. Maridos jovens geralmente atingem o orgasmo antes mesmo de a esposa começar a entrar no clima. Assim, a diminuição do nível de testosterona, que causa lentidão no processo de excitação sexual do marido, pode aproximá-lo do ritmo sexual da esposa e resultar em benefício. A diminuição do ritmo sexual permite mais tempo para beijos, abraços e outros toques íntimos, todos importantíssimos para a satisfação do desejo sexual feminino.

Alguns maridos, por não perceberem a diferença entre disfunção erétil e descontentamento erétil, correm atrás dos produtos anunciados na mídia, pensando que tais drogas restaurarão o vigor da juventude. A maioria, porém, se decepciona. Aqueles que sofrem mesmo de disfunção erétil até podem se beneficiar desse tipo de medicação, mas não devem esperar milagres. Esses remédios auxiliam a ereção em cerca de dois terços dos casos. E, mesmo quando funcionam, não restauram completamente a juventude. É importante observar que esse tipo de medicação não tem efeito sobre a excitação. Ou seja, podem até causar ereção, mas não restauram o interesse no sexo. Muitos homens se sentem frustrados com o resultado e menos da metade volta a tentar.

Que fazer, então, quando o homem se sente impotente, incapaz de manter a ereção por tempo suficiente para uma penetração satisfatória? Não bastasse isso, o problema ainda pode se agravar caso a esposa, agora na menopausa, sinta dor durante o ato sexual mesmo após o uso de medicamentos apropriados. A maioria dos homens presume que a ereção é um fator necessário para o sexo. Mas, na realidade, é possível ter prazer sexual sem penetração. No atual estágio da vida, casais que têm um relacionamento saudável podem aprender a se satisfazer sexualmente por meio de beijos, abraços, carícias, massagens e outros toques íntimos. Nesse contexto amoroso, esposa e marido ainda podem alcançar orgasmos tão intensos e prazerosos quanto com a penetração em si.

A satisfação sexual mútua não acaba com a idade. Muitas vezes os problemas associados ao sexo na segunda metade do casamento não têm a ver com o nível reduzido de estrogênio ou testosterona, mas com a qualidade do relacionamento entre marido e esposa. O sexo jamais deve se separar do restante da vida. É por essa razão que aprender a principal linguagem do amor do cônjuge e praticá-la regularmente possibilita manter ativo o amor emocional dentro do casamento por toda a vida. Quando a esposa se sente amada pelo marido e ele por ela, cria-se um clima emocional em que ambos podem conceder prazer um ao outro, independentemente das limitações de cada um.

Conforme comentamos no capítulo 2, as cinco linguagens do amor são: palavras de afirmação, atos de serviço, presentes, tempo de qualidade e toque físico. Caso você e seu cônjuge ainda não tenham descoberto a principal linguagem do amor um do outro, recomendamos mais uma vez a leitura de *As 5 linguagens do amor*. Aumentar a qualidade da conexão emocional gera o potencial necessário para melhorar a intimidade sexual no casamento.

A comunicação, que conduz à compreensão, e o amor, que nos motiva à mudança, são essenciais para encontrar satisfação sexual mútua na segunda metade do casamento. Temos estimulado casais a fazerem um ao outro as seguintes perguntas:

O que podemos fazer para melhorar nossa relação sexual?
O que você gostaria que eu fizesse, ou deixasse de fazer, para melhorar seu prazer na relação sexual?
Caso eu pudesse fazer uma única mudança para melhorar nossa relação sexual, o que seria?

Listamos, a seguir, algumas respostas que recebemos com relação à segunda questão apresentada. Sugerimos que leia essas dicas e marque aquelas que gostaria de dizer a seu cônjuge. Se quiser, adicione suas próprias ideias. Depois, compartilhem um com o outro o que gostariam de fazer, ou deixar de fazer, a fim de melhorar a relação sexual. Lembre-se que seu cônjuge é o único perito em assuntos relacionados a ela/ele próprio. Leve a sério o que ela/ele disser.

Quando a esposa se sente amada pelo marido e ele por ela, cria-se um clima emocional em que ambos podem conceder prazer um ao outro, independentemente das limitações de cada um.

Coisas que a esposa deseja que seu marido faça, ou deixe de fazer, a fim de melhorar a relação sexual

1. Gostaria que ele prestasse mais atenção à higiene pessoal para que eu me sentisse mais atraída pelo corpo dele.
2. Gostaria que soubesse que as coisas feitas por ele ao longo do dia afetam a relação sexual à noite.

3. Gostaria que ele desligasse o computador, o rádio ou a televisão e passasse mais tempo me ouvindo.
4. Gostaria que ele ouvisse o que digo sem criticar meus pensamentos ou sentimentos.
5. Gostaria que ele me acariciasse quando quer sexo. Beijos e abraços me ajudam a entrar no clima.
6. Gostaria que ele dissesse que tem orgulho de mim e que está feliz por eu ser esposa dele.
7. Gostaria que saíssemos mais vezes, e sem brigar por causa de preços, simplesmente para experimentar coisas novas.
8. Gostaria que ele soubesse que o humor dele quando chega do trabalho (irritado, impaciente, aborrecido) ou quando estamos em casa à noite afeta o clima na cama. Não tenho um botão para desligar tudo isso e me sentir imediatamente atraída por ele para fazer sexo.
9. Gostaria que ele se lembrasse de que a penetração é dolorosa para mim, pois estou na menopausa. Quero agradá-lo porque o amo muito.
10. Gostaria que ele compreendesse que minha falta de interesse não tem nada a ver com ele, mas com meu estresse e com falta de tempo e energia.
11. Gostaria que trabalhássemos juntos em nosso relacionamento espiritual.
12. Gostaria que ele procurasse ajuda para tratar sua impotência sexual, problema que vem se arrastando há anos.

Coisas que o marido deseja que sua esposa faça, ou deixe de fazer, a fim de melhorar a relação sexual
1. Gostaria que ela fizesse academia comigo.
2. Gostaria que ela tivesse mais iniciativa de fazer sexo. É muito mais prazeroso para mim quando parte dela o desejo por sexo.

3. Gostaria que ela se abrisse mais e falasse mais dessa área do nosso casamento.
4. Gostaria que nossa relação sexual fosse mais variada e que acontecesse com mais frequência.
5. Gostaria que fizéssemos sexo mais de uma vez por ano. E que a mente dela estivesse mais ligada em mim e menos na família dela (o pai e a mãe). Quem sabe quando eles morrerem finalmente consigamos fazer sexo.
6. Gostaria que minha esposa considerasse o sexo um prazer mútuo. Cada vez mais me parece que se trata apenas de satisfazer minha necessidade em vez de ser uma experiência gostosa para ambos.
7. Gostaria que ela abandonasse as experiências passadas e desfrutasse nossa relação sexual.
8. Gostaria que ela consultasse um médico para tratar a dor que sente durante o ato sexual. Estou muito frustrado e não sei a razão de ela não procurar ajuda.
9. Ela acumulou muita *lingerie* especial ao longo dos anos, mas agora usa cada vez menos. É uma mulher linda e gostaria que usasse mais vezes.
10. Gostaria que ela ficasse desperta quando fazemos sexo. O prazer dela é importante para mim, e não acho divertido fazer amor com alguém que não está prestando atenção.
11. Gostaria que ela dedicasse mais tempo ao nosso relacionamento físico e que entendesse a importância disso para mim. Sinto falta de ter mais intimidade com ela.
12. Gostaria que minha esposa me deixasse satisfazê-la sexualmente. Ela pensa que sexo é "nojento" e se recusa a buscar aconselhamento profissional.
13. Gostaria que ela me desse sugestões de como eu poderia tornar sua experiência sexual mais prazerosa.

6

Viver sem ansiedade?

Ansiedade, preocupação e medo nos visitam com frequência, geralmente no meio da noite. *O câncer voltará? Conseguirei pagar o aluguel? O que acontecerá com nosso filho que não é autossuficiente? Que barulho foi esse lá fora?* Muitos casais na segunda metade do casamento têm motivos de sobra para se alegrar: companheirismo e apoio mútuo, sabendo que são sobreviventes a duras perdas e dificuldades; e ainda o fato de não faltar alimento, abrigo, família e amigos. É compreensível, então, o fato de novas pesquisas revelarem que as pessoas se tornam mais felizes à medida que envelhecem.

Bem, até certo ponto. Conforme comentou um casal: "Na primeira metade de nosso casamento, vivíamos estressados a respeito das prestações do carro, da casa e de como lidar com as crianças, mas não tínhamos medo. Hoje é diferente: temos medo de perder o vigor, o dinheiro, a saúde, a capacidade mental".

O nível de endividamento entre americanos com 55 anos ou mais está aumentando. Muitos casais perderam o emprego em razão de reestruturações corporativas enquanto outros vivem apreensivos, indagando-se por quanto tempo permanecerão empregados. Um casal de aposentados comentou: "O custo do plano de saúde está um absurdo, sem mencionar as despesas de coparticipação e outros extras. Passamos a vida toda guardando dinheiro, mas, se continuar assim, a menos que morramos cedo, vamos acabar ficando sem um centavo". Ainda assim, casais na faixa dos 50 anos ou mais se declaram felizes um com o outro e demonstram uma sensação geral de bem-estar. "Estamos sempre cientes das coisas ruins que podem acontecer", comentou um casal, "mas tentamos viver o momento com gratidão pelas coisas boas."

Se continuar assim, a menos que morramos cedo, vamos acabar ficando sem um centavo.

Nem sempre é fácil pensar dessa forma.

O ser humano é suscetível a doenças, acidentes, colapso mental e outras mazelas. É nossa condição humana — e já é coisa demais com que se preocupar. Não bastasse isso, infelizmente nossa cultura estimula a ansiedade, soterrando-nos com informações sombrias e imagens vívidas de acontecimentos horríveis mundo afora. Em seu livro *Anxious* [Ansiedade], Amy Simpson relata como muitos vivem "frenéticos de preocupação. Preocupar-se é parte da nossa cultura". De acordo com ela, "o futuro desconhecido" é a principal fonte de preocupação.

"Sinto-me culpada por viver ansiosa"

Eis o momento oportuno para a fé.

Jesus tinha muito a dizer a respeito da preocupação e instruiu seus amigos mais chegados sobre esse assunto. Aliás, seus ensinamentos são tão práticos que repercutem nos melhores estudos comportamentais disponíveis atualmente.

Depois de advertir a respeito da ganância, Jesus descreveu um fazendeiro rico que planejava se aposentar com muito conforto e luxo. "Insensato", disse Jesus ao referir-se a esse sujeito. Afinal, a morte sobrevém até mesmo àqueles que possuem gordas poupanças de aposentadoria. Em seguida, virou-se para seus amigos e ofereceu-lhes o seguinte conselho prático: "Não se preocupem com sua própria vida, quanto ao que comer; nem com seu próprio corpo, quanto ao que vestir. A vida é mais importante do que a comida, e o corpo, mais do que as roupas" (Lc 12.20,22-23).

E acrescentou: "Quem de vocês, por mais que se preocupe, pode acrescentar uma hora que seja à sua vida?" (Lc 12.25). Sabemos muito bem que a preocupação pode ter efeito contrário, isto é, *tirar* horas da nossa vida por meio da liberação de proteínas nocivas em nosso organismo, comprometendo nosso sistema imunológico.

Depois de chamar a atenção de seus discípulos para as aves do céu, que não se preocupam com coisa alguma, Jesus compartilhou o seguinte conselho espiritual e psicológico: "Portanto, não se preocupem com o amanhã, pois o amanhã trará as suas próprias preocupações. Basta a cada dia o seu próprio mal" (Mt 6.34).

Grande verdade! Aliás, os problemas diários muitas vezes ultrapassam a medida. "Como é difícil NÃO se preocupar com o futuro", comentou Laura. "Sobrevivi a um câncer e até agora tudo bem, mas quem sabe o que acontecerá mais para a frente? Meu marido tem um problema nas costas. E se ficar aleijado? Não sabemos quanto tempo viveremos ou que qualidade de vida teremos no futuro. Não sabemos se o dinheiro será suficiente. Pensamos em nos mudar para perto dos filhos futuramente, mas não sabemos onde se estabelecerão.

"Há muitos fatores desconhecidos nesse período da vida, especialmente na fase dos 60, quando começamos a contemplar o futuro. E pior ainda para quem tem imaginação fértil como eu! Como se não bastasse, sinto-me culpada por viver ansiosa, pois no final do dia ainda temos de confiar em Deus, o dono do futuro."

Preocupação e oração

Conforme a experiência de Laura (e de todos nós), não podemos evitar pensar no futuro. Na verdade, contemplar o porvir é uma reflexão saudável, pois nos ajuda a planejar para o amanhã. Embora difícil de imaginar, a morte é um fato para o ser humano. Certa vez disse (eu, Gary) à minha filha, formada em medicina: "Filha, se eu morrer...". Ela interrompeu na hora: "Não pai, não se, mas quando". "Verdade, filha. Quando eu morrer..."

A realidade da morte deve nos levar ao preparo para essa ocasião, tanto em termos espirituais como financeiros. Onde você será enterrado? Como seu cônjuge pagará as despesas?

Não temos condições de controlar todos os acontecimentos de nosso futuro. Precisamos crer que Deus nos concederá graça e sabedoria para encarar as coisas que nos aguardam.

O objetivo de pensar no futuro é tomar medidas concretas para se planejar para o que há de vir. Entretanto, ter um bom planejamento não é suficiente. Também é necessário confiar em Deus. Afinal, não temos condições de controlar todos os acontecimentos de nosso futuro. Precisamos crer que Deus nos concederá graça e sabedoria para encarar as coisas que nos aguardam.

"Não sei como conseguirei viver se meu cônjuge morrer" é uma frase que muitos já devem ter ouvido. Esse tipo de atitude se concentra na perda, e não em Deus. A força para enfrentar a morte do cônjuge virá no dia em que isso acontecer. Nesse dia, Deus estará presente assim como está hoje. Certa vez ouvi um pastor dizer: "Deus só concede graça especial para enfrentar a morte quando ela chega, e não antes". A confiança em Deus é o antídoto para a preocupação.

A preocupação é um inimigo. É a reação mental a algo que "pode" acontecer. *Preocupar-se* significa "perder a paz, atormentar-se". Somente leva ao desespero. Em vez de se preocupar, o cristão é chamado a orar. A preocupação focaliza a situação momentânea e as coisas que podem acontecer. A oração se concentra em Deus e em seu poder de auxiliar.

Quem entendeu isso perfeitamente foi *sir* William Osler, famoso médico que lecionou na Universidade Yale em 1871. Osler incentivava seus estudantes a começar o dia com a oração do Pai-nosso: "Dá-nos hoje o nosso pão de *cada dia*" (Mt 6.11).

Em uma de suas viagens marítimas, Osler observou um capitão isolar cada área do navio por meio de compartimentos à prova d'água. Essa ideia mexeu profundamente com o atarefado doutor, que dali em diante passou a cultivar o hábito de "compartimentar cada dia". Em suas aulas, exortava os estudantes a viver o presente, sem nenhuma preocupação com o passado ou com o futuro.

Suas palavras têm sido bastante citadas ao redor do mundo, e sua ilustração a respeito de compartimentar cada dia ajudou muitas pessoas. Em outras palavras, planeje-se para o futuro, mas somente como parte da rotina diária.

A seguir, mais algumas ideias.

Reconheça o poder de seus pensamentos.

A mente tem uma capacidade assustadora. Por exemplo, abra um sorriso quando estiver se sentindo abatido. Uma atitude simples como essa é suficiente para alterar a química do corpo! O apóstolo Paulo também escreveu a respeito do poder do pensamento positivo como remédio para a preocupação (Fp 4.8).

Aceite as coisas como são.
Algumas coisas parecem impossíveis de se aceitar. No entanto, resmungar, viver em negação ou se enraivecer somente produzem desarmonia. É necessário aceitar a realidade.
Decida como agir.
"Viver preocupado é muito improdutivo", comentou um amigo nosso. Não é possível alterar o futuro, mas talvez possamos fazer algo para melhorar a situação. Nada pior que o sentimento de paralisação. Um passo pequeno é melhor que passo nenhum.
Considere os comentários de Mark Twain.
Esse escritor disse que se preocupou com muitas coisas na vida, mas a maioria delas nunca aconteceu. Embora a mente seja capaz de produzir diversos cenários ruins para a vida, poucos ocorrem de fato.
Não se culpe.
Algumas vezes nos culpamos por uma decisão ruim ou uma oportunidade desperdiçada. Entretanto, quanto mais focalizamos o passado, menos tempo temos para criar um futuro melhor. Aceite o que aconteceu e abandone o remorso.
Por fim, *ore.*
Um marido comentou que a oração o estava ajudando a viver com menos ansiedade:

> Minha esposa e eu nos preocupamos demais com nossos filhos, os netos e as finanças. Não bastasse isso, a sensualidade absurda que se vê na televisão, no celular e nas revistas produziu em minha mente uma sucessão de pensamentos horríveis. Contudo, tenho recebido ajuda por meio da oração. É muito simples: a oração, independentemente da hora do dia, causa um curto-circuito no tumulto e nos receios da minha mente.
> Basta eu pensar em uma pessoa; por exemplo, no Joe. "Deus, abençoe o Joe."

Simples assim. Um por um, começando com minha esposa, filhos e família, nomes e rostos passam por minha mente e oro em favor de cada um deles apenas dizendo: "Pai, abençoe a Jane. Abençoe o Mario", e assim por diante.

Certa vez, li um livro a respeito do poder da bênção dos pais sobre os filhos. O filho absorve o amor e ganha senso de identidade. A palavra "bênção" tem poder. Associar essa palavra a nomes e rostos em oração me faz lembrar a oração do Pai-nosso, na qual pedimos que a vontade de Deus no céu seja trazida para a terra.

Percebo uma mudança em minha mente quando peço a Deus que abençoe meus queridos, pessoas que enfrentam problemas ou outros que me machucaram. Dizer "abençoe-os" significa que estou pedindo a Deus que derrame sua unção de amor e redenção sobre aquelas pessoas. Conforme apresento nome após nome em oração, aquelas cenas e estímulos se desfazem. Por meio dessas orações, peço a Deus que traga o céu e seu amor santo para aquelas pessoas. Nesse instante, meus problemas parecem menos perturbadores.

Não posso consertar o mundo, mas posso, por meio dessas orações, confiar a Deus o mais importante — as pessoas. Enquanto nomes e rostos me vêm à mente em oração, me dou conta de quantas pessoas conheço, e algumas delas não vejo *há anos*. Isso me leva a buscar contato com aqueles que até então vinha evitando.

Sim, a oração sincera é uma maneira de servir aos outros e manter nossa concentração em Deus, e não em nossas circunstâncias.

Conta-se que J. C. Penney, fundador da rede de lojas que leva seu nome, simplesmente não conseguia mais dormir de preocupação após o desastre financeiro de 1929. "Estava em frangalhos, emocional e fisicamente. Caí em desespero total." Certa noite, convencido de que morreria nas próximas horas, pôs-se a escrever para sua esposa e seus filhos, dizendo que não esperava vê-los ao amanhecer.

O sol nasceu e ele continuava vivo. "Em uma igrejinha que se reunia para louvar toda manhã, ouvi o que cantavam. A canção dizia: 'Deus cuidará de ti'."

O efeito daquelas palavras foi profundo em Penney. "Com o coração partido, fiquei ouvindo a música, depois o sermão e as orações. De repente, alguma coisa aconteceu. Não sei explicar. Foi simplesmente um milagre. Senti-me como alguém recém-saído da escuridão da masmorra para o calor e a luz brilhante do sol. Senti o poder de Deus como nunca havia sentido. O amor de Deus veio me socorrer. A partir daquele dia, passei a viver sem nenhuma preocupação. Hoje, aos 61 anos, jamais experimentei momento mais dramático e glorioso em minha vida que aqueles vinte minutos na capela pela manhã. 'Deus cuidará de ti'."

LEVANDO PARA O LADO PESSOAL

Filipenses 4.6-7 diz: "Não andem ansiosos por coisa alguma, mas em tudo, pela oração e súplicas, e com ação de graças, apresentem seus pedidos a Deus. E a paz de Deus, que excede todo o entendimento, guardará o coração e a mente de vocês em Cristo Jesus".

Entregue a preocupação nas mãos de Deus e descanse.

1. Qual sua preocupação mais frequente?
2. Há algo que poderia fazer para minimizá-la? Se sim, por que não aplicar essa solução?
3. A passagem apresentada nos instrui a levar nossos pedidos em oração a Deus e a agradecer o amor e o cuidado dele para conosco. Lançamos nossas preocupações sobre Deus e confiamos nele. Agir dessa maneira produz paz, ou seja, o oposto de preocupação.

4. Quando se sentir oprimido e sem esperança, além de orar, compartilhe seu sofrimento com um amigo chegado, um pastor ou um conselheiro espiritual. Deus geralmente utiliza outras pessoas para nos ajudar.

JONI E KEN TADA
"CONHECEMOS UM AO OUTRO
COMO A PALMA DA MÃO"

Joni Eareckson Tada é famosa por suas reflexões a respeito do sofrimento, por seus dons artísticos e por seu ministério mundial, Joni and Friends [Joni e Amigos]. Além disso, também escreveu extensivamente sobre o casamento, especificamente sobre seus 34 anos junto a Ken, seu marido e parceiro de ministério. Em seu último livro, *Joni & Ken,* ela medita sobre aqueles anos de "união conquistada com muito suor". Eis alguns conselhos e alegrias que ela compartilhou conosco.

Você comentou que vivemos em uma sociedade que não sabe lidar com o sofrimento, do qual tentamos escapar e que o "casamento apenas faz aumentar". Como fortalecer o casamento em períodos de sofrimento?
É muito difícil quando o sofrimento crava suas garras no casamento e o sacode violentamente. Apegar-se firmemente a Cristo e aos votos matrimoniais em momentos difíceis — de grande abalo ou circunstâncias terríveis — fortalecerá o casamento. Apegar-se firmemente significa buscar aquelas "disciplinas" que, no passado, nos ajudaram a atravessar situações complicadas: orar um pelo outro e permanecer na Palavra.

Acima de tudo, porém, *ore*. Muitas vezes Ken anda pela casa nervoso, preocupado ou de mau humor. Costumo orar por ele nessas ocasiões, suplicando por sua vida diante do trono e pedindo a Deus que se lembre de seu servo, derrame graça sobre ele, o ajude a vencer o pecado, abra os olhos dele para o quadro maior da vida, conceda todos os benefícios da ressurreição e muito mais. É impressionante como meu marido reage bem à oração.

A capa de seu livro *Choices/Changes* [Escolhas/Mudanças] (1986) mostra você e Ken sorrindo para a câmera como dois jovens felizes recém-casados. A capa de seu novo livro é muito diferente: vocês aparecem como dois veteranos experientes, dois sobreviventes corajosos. O que se passa em sua mente e em seu espírito quando pensa nessa fotografia?
Excelente observação. Pensei a mesma coisa quando observei essas capas. Jamais quero retornar ao idealismo juvenil e romântico daquele período de nosso casamento. Ken e eu preferimos a fase atual, de conhecer um ao outro como a palma da mão, de escolher companhia tranquila em vez de um programa barulhento, de desfrutar o bem-estar da

amizade um do outro, de reconhecer cada marca dolorosa de nossas alianças puídas e arranhadas como evidência de nossa proximidade com Deus e um com o outro, e de ficar em casa na companhia um do outro. Lar é onde Ken está. E eu sou o lar dele.

Você se referiu à necessidade de formar "uma união conquistada com muito suor com seu cônjuge" e enfatizou: "Por favor, *ore* por seu cônjuge. A oração bate facilmente qualquer manual de casamento". O que a levou a escrever isso?

Há ocasiões em que não gostamos do cônjuge com quem nos casamos: a preguiça dele; as muitas horas que passa sentado no sofá folheando revistas de pesca; as pilhas de bugigangas por toda parte; aquele par de chinelos velhos que ele arrasta para ir a *qualquer lugar*. Também sentimos falta daquele tom de voz animado com que ele conversa com os amigos, reservando para nós um mero "Sim", "Tá bom" ou outro grunhido qualquer. Quando surgir esses momentos, lembre-se que não existe pessoa mais importante no mundo que seu cônjuge: nenhum amigo, conselheiro, colega de trabalho, mentor espiritual, vizinho ou parente; nem mesmo pai e mãe são mais importantes que ele. Acima de todas as coisas e pessoas por quem orar neste mundo, *seu cônjuge* ocupa o topo da lista. Bem ou mal, é a pessoa a quem você se comprometeu a amar. Assim, você tem a obrigação solene de participar da santificação do seu cônjuge por meio da oração. Ele é a pessoa que Deus colocou em sua vida para amar, encorajar, defender, estimular, apreciar e aplaudir. Amá-lo dessa maneira traz enormes benefícios à *sua* alma!

Muitos se impressionam com o fato de você ser capaz de louvar e agradecer em meio às dificuldades gigantescas

que enfrentou. Como esse sentimento de gratidão afetou seu casamento?
A gratidão não é uma atitude natural ao ser humano. Certamente essa é a razão, creio eu, de Deus nos pedir repetidas vezes para sermos gratos. Talvez a falta de ânimo para agradecer as coisas que o cônjuge faz se deva ao fato de passarmos tempo demais monitorando o mau comportamento dele ("Ele fez por merecer? Que fez ultimamente para fazer jus à minha gratidão?"). Com *certeza* deve haver, por menor que seja, alguma qualidade em seu cônjuge, alguma característica cristã minúscula que você possa nutrir e estimular com palavras de gratidão! (E não estou falando de elogios baratos e manipuladores. Estou falando de apreciar aquelas qualidades que Cristo nos deixou de exemplo.) Exprimir gratidão e apreço é participar, com o Espírito Santo, do "amadurecimento" daquelas características admiráveis da outra pessoa. Então, se você não tem espírito de gratidão, comece a trabalhar nisso e verá, à medida que o fizer, que no final Deus mudará vocês dois.

Quando recebeu o diagnóstico de câncer, você disse a Ken que a doença havia acontecido "para um propósito maior" e que "Deus devia estar planejando alguma coisa". Além de tudo o que enfrentaram ao longo dos anos, o que mais a levou a enxergar "propósito" em seu casamento?
Uma das qualidades mais impressionantes do sofrimento é a capacidade de refinar, afiar, moldar e polir (presumindo que a pessoa se humilhe e se submeta aos desígnios do sofrimento). Desgraça, dor física, perda e experiências de quase morte eliminam o fútil e o supérfluo do casamento, algumas vezes deixando os cônjuges à beira da devastação. No entanto, depois de reduzidos ao básico, Ken e eu passamos a perceber

com mais facilidade o quadro maior. O propósito é honrar Deus por meio dos nossos votos de casamento. Desejamos ser um exemplo do significado de se submeter e se entregar, liderar e orientar, confessar e perdoar, ouvir e conversar, trabalhar e se divertir, cuidar e corrigir, e os demais verbos que se refiram a contribuir para a alegria e a abundância de vida.

Nosso objetivo matrimonial é nos esforçar para sermos o melhor amigo um do outro, aquele que o outro escolhe, prefere, se orgulha, se gaba, respeita, defende, e com quem à noite vai para a cama se sentindo seguro e acolhido. Não há *nada* mais gostoso neste mundo.

Um dos capítulos do seu livro é intitulado "Não tem nada a ver conosco". O que quis dizer com isso?
Francamente, queremos chegar ao final como vencedores. Em nosso casamento, desejamos evitar tudo o que envergonharia Jesus ou que lhe seria ofensivo, que lhe traria má reputação ou o desagradaria. Existe uma lacuna *enorme* entre nossa tendência natural (por exemplo, reclamar do cônjuge) e o que é possível realizar por meio da graça de Deus (por exemplo, morder a língua quando for resmungar e, em vez disso, orar pelo outro). Essa interrupção é a glória de Deus. Essa "diferença" entre reclamar e optar por *não* reclamar é o que torna Deus magnífico!

Você e Ken são opostos?
Sim, bastante, mas também somos atletas competitivos. Nada mais divertido que sentar ao lado de Ken com um pacote de salgadinho e assistir a um jogo na televisão. Gosto muito quando ele solta uma gargalhada tão alta que começa a rir de si mesmo. Esse tipo de humor simplório costumava me irritar, mas hoje não mais. Em cima da geladeira, temos um boneco japonês dentuço segurando uma panela e exibindo

um sorriso insano. Esse tipo de coisa me deixava louca anos atrás, mas hoje tenho paixão pelo senso de humor bobo dele.

Você e Ken são pessoas enérgicas. Ken com certeza enfrentou batalhas ferozes a seu lado. Como o lado "guerreiro" masculino dele, somado à sua forte liderança feminina, passaram a ser complementares em vez de divisionais? Foi um processo difícil?
Ken e eu competimos para vencer. Estamos sempre pensando por uma perspectiva maior. Os desafios da vida nos energizam. Mais importante, porém, é nosso reconhecimento de que Deus nos chama todos os dias para um campo de batalha feroz, onde convergem as forças mais poderosas do universo. Que pensamento revigorante! O inimigo não é minha cadeira de rodas, minha dor ou minha tetraplegia. É Satanás, que fará qualquer coisa para acabar com nosso casamento. Ken e eu estamos cientes disso, de modo que vigiamos o tempo todo. Creio que minha deficiência nos ajuda nessa tarefa.

Levando em consideração que a mudança no papel tradicional de homens e mulheres é um fato cotidiano para muita gente hoje, o que considera essencial para um casamento próspero?
Um dos cônjuges precisa ter a última palavra. Embora a submissão mútua seja interessante, há momentos em que é necessária uma decisão. Nesses casos, Ken tem a palavra final. Quanto a mim, tenho de confiar no Senhor, mesmo imaginando que Ken tomara a decisão errada. Creio que, por agirmos dessa maneira, Deus nos protegerá e nos orientará.

Como consegue falar tão abertamente sobre suas próprias dificuldades e experiências? De que maneira

outros casais podem se relacionar com franqueza um com o outro em situações difíceis no casamento?
Ken e eu frequentamos muitos retiros familiares em nosso grupo de ministério Joni and Friends. Encontramos casais à beira do divórcio, um deles tentando bravamente manter vivo o amor enquanto criavam três filhos, dois deles com problemas sérios de autismo e o outro com síndrome de Down. Ken e eu observamos esses casais e pensamos: "Não sabemos *nada*". Parte da razão de nos apresentarmos com transparência e fragilidade é por nosso desejo de mostrar a esses casais que nos identificamos com os problemas deles, que eles também podem superar suas dificuldades e que Jesus tem poder para nos ajudar. Esses retiros familiares mantêm Ken e eu "no mesmo terreno" em que vive a maioria das pessoas. Quando a dificuldade invade o casamento, os cônjuges podem se relacionar um com o outro apenas ouvindo, perguntando e ouvindo um pouco mais.

Acredito que a maioria de nós *morre* de vontade de que o cônjuge simplesmente pare e ouça o que temos a dizer, que compreenda quem somos, que nos "capte" e, ainda assim, continue nos amando.

Nossa cultura transmite a mensagem de que permanecer casado é impossível para a maioria e que o melhor a se esperar seria uma sequência de monogamias. O que você tem a dizer sobre isso? O que diria àqueles que se cansaram do casamento e estão prestes a se divorciar?
O cristão *pode* romper os laços matrimoniais com seu cônjuge. Nesse caso, a vida continuará e é até possível que encontre felicidade com outro indivíduo. Entretanto, esse cristão *não será* mais o mesmo, não será aquela pessoa que deseja profunda e desesperadamente ser. Será um ser humano diminuído. Embora seja verdade que o arrependimento

verdadeiro traz restauração (quão *maravilhosa* é a graça de Deus!), a capacidade de sua alma será menor. (O sentido de "capacidade" a que me refiro é o mesmo mencionado por Jonathan Edwards. O pecado habitual reduz o tamanho do vaso cristão. Depois de perdoado, o cristão pode voltar a transbordar da graça e da alegria de Deus, porém seu vaso será menor. Penso ser isso o que Jesus quis dizer quando advertiu seus seguidores de não correrem o risco, caso optassem pelo caminho do pecado, de serem chamados o "menor no Reino dos céus" [Mt 5.19]. Esse risco celestial é alto *assim*? Sim, é! Mas não se trata de um ensinamento contra a graça, e sim que demonstra que a graça é preciosa, e não algo barato. Trata-se de um ensinamento muito necessário à igreja atual.)

Você observou que muitos casais têm dificuldade para lidar com a ansiedade a respeito do futuro. Você mesma enfrentou problemas de saúde que a levaram a se sentir ansiosa e necessitou de medicamentos para reduzir a ansiedade. Como você e Ken lidam com situações de ansiedade?
Interessante ter perguntado isso. No último domingo, celebramos a ceia do Senhor. Durante o momento de reflexão sobre pecados que precisavam ser confessados, um deles se destacou imediatamente: o "medo do futuro". *Quanta dor física posso aguentar? Que farei se Ken morrer antes de mim? Será que aceitaria de boa vontade ter de viver acamada?* Luto o tempo todo para me contentar com o hoje, o agora, sem me preocupar com o "amanhã e se meu colete ortopédico vai me deixar machucada". Minha inspiração constante tem sido o profeta Samuel, que, após erguer um memorial, exclamou: "Até aqui o SENHOR nos ajudou" (1Sm 7.12). Deus supriu cada necessidade minha, e com abundância. Não tenho

absolutamente *razão* alguma para imaginar (e aqui está a dificuldade) que ele falhará comigo no futuro.

Como mantém saudável seu casamento com uma agenda repleta de viagens e o peso da responsabilidade de sua liderança?
Sou muita abençoada por meu marido compreender que o ministério Joni and Friends é um trabalho *meu e dele*. Ken me acompanha em quase todas as viagens (a menos que esteja pescando em Montana), e juntos nos divertimos muito. Gostamos de falar juntos em público. Sempre digo a ele que não *precisa* me acompanhar em todas as viagens, mas ele insiste! Durante a viagem, Ken sai distribuindo panfletos sobre a "História de Joni" para comissárias de bordo, transportadores de bagagem, supervisores, recepcionistas, faxineiras, garçons etc. Sinto-me muito orgulhosa de vê-lo conversar com essas pessoas e incentivá-las a ler minha história.

Nosso casamento tem sido positivo em razão de ambos percebermos a maneira como Deus nos usa em seu reino. Quando bate o cansaço ou o tédio, relembramos os lugares maravilhosos que visitamos em mais de cinquenta países, incluindo suas atrações turísticas, as pessoas com quem conversamos, as bênçãos, as oportunidades, os casamentos restaurados, o retorno da alegria para esses casais, e muito mais. Somos muito abençoados. Muito mesmo.

/ **Parte 3**

7

Resilientes unidos

Recobrar-se, superar, prosseguir.

Independentemente do termo que você escolhe para se referir a essa qualidade, sabe-se que ela é *indispensável* em um casamento bem-sucedido. Por que alguns casais sobrevivem a desastres naturais, fracasso nos negócios e todo tipo de trauma, mas outros não? De que maneira algumas pessoas, a exemplo de Joni e Ken, conseguem lidar com difíceis e crônicas condições de saúde com graça e bom humor enquanto outros se entregam à amargura e à passividade?

As respostas, obviamente, são muitas e complexas. Há, porém, um enorme poder de cura no simples fato de enfrentar uma dificuldade *juntos*.

A mãe de Jim era uma viúva que sempre vivera de maneira frugal e acabou acumulando uma riqueza considerável. Jim e Barb, sua esposa, aguardavam o dia em que ela lhes deixaria tudo de herança. Porém, quando ela desenvolveu demência, o irmão de Jim, Dave, assumiu a gerência dos bens. "Em razão de investimentos ruins e da crise econômica mundial, quase tudo foi perdido", comentou Barb. "Para dizer a verdade, havíamos dado a herança como perdida. Dave não conversava muito conosco e, quando finalmente chamamos um advogado especializado para analisar a questão, era tarde demais. Ao menos uma coisa boa foi o fato de a mãe de Jim jamais ter percebido o que aconteceu com as economias que guardou com tanto zelo."

Barb poderia ter culpado Jim por não ter prestado mais atenção a Dave, que possuía um histórico ruim de gerenciamento financeiro, mas não fez isso! "Eu também não prestei atenção. Naquela época estávamos nos mudando e ao mesmo tempo procurando um lugar para a mãe de Jim. As crianças também necessitavam de cuidados. Por fim, Jim acabou de fato intervindo e tomando o controle das mãos do irmão.

"Enfrentamos toda aquela situação unidos. Também não queríamos, como cristãos, que o dinheiro se tornasse motivo de divisão entre nós. Somos uma equipe e ponto final." Ela acrescentou, porém, que ajudou muito o fato de possuírem uma situação financeira razoável naquela época. "Não estávamos falidos, mas com certeza a herança teria ajudado bastante. No final das contas, meu relacionamento com Jim é tudo o que importa, como também ter uma perspectiva correta da *vida*.

"Acredito que aprendemos muita coisa com tudo aquilo."

"PARECIA QUE A TRISTEZA E A DOR JAMAIS ACABARIAM"

A resiliência no casamento depende de muitas coisas. Quando desaparece, especialmente se o casamento estiver em dificuldades, geralmente os cônjuges começam a metralhar acusações um contra o outro. Com o passar do tempo, a raiva pode se infiltrar sorrateiramente no casamento e, um belo dia, entrar em ebulição. "Quando vocês ficarem irados, não pequem" (Ef 4.26), aconselham as Escrituras. Praticar isso, porém, não é tão simples. Reprimir a raiva provoca depressão, mas agir com raiva pode causar danos e mágoas.

A raiva pode levar a pessoa a agir de maneira irracional com o cônjuge. Foi justamente o que aconteceu com esse marido. "Foi uma doideira", comentou ele. "Certa noite me levantei para ir ao banheiro e bati o dedão do pé. Que dor incrível! O sangue me subiu à cabeça e na mesma hora me veio à mente: 'É tudo culpa dela!'. Mas ela não tinha nada a ver com aquilo."

Esse sujeito repeliu seu pensamento irracional, mas a dor ou a perda geralmente suplantam o racional. Quando a raiva irrompe ou sai do controle, o cônjuge pode se tornar um alvo.

Gostamos do que Michael e Andrea comentaram a respeito de controlar a raiva. Esse casal experimentou uma boa dose de ódio, tristeza e sofrimento quando Michael perdeu o emprego em uma grande corporação e passou quase um ano desempregado. Ele ficou com raiva por muito tempo. "Sentia um prazer perverso quando ouvia más notícias a respeito da empresa que me demitiu."

Segundo eles, aprenderam a lidar com a raiva por meio do exemplo de fé do pai de Michael. "Meu pai sofreu muito com problemas ligados à raiva. Perdera a mãe aos 3 anos e o pai aos 7. Depois, aos 28 anos, fora diagnosticado com melanoma terminal. 'Mais uma pancada', pensou ele. Porém, não estava pronto para morrer. Minha irmã e eu éramos pequenos, e meu pai suplicou a Deus que o deixasse viver para criar os filhos. Pouco depois disso, participou de um tratamento experimental em New Orleans, que funcionou. Ele ficou livre do câncer por muito tempo."

Mais tarde o câncer retornou de maneira devastadora. Contudo, nas palavras de Andrea: "Agora ele tem uma atitude impressionante. Insiste que está bem e acrescenta: 'Deus sabe o que faz comigo. Estou bem'. É um testemunho de fé extraordinário".

O exemplo do pai foi uma das razões pelas quais Michael permaneceu relativamente calmo quando Andrea ligou para ele em pânico. Certo dia, pouco antes do Natal, sua filha Anna, em visita de férias, decidiu limpar o banheiro. "Ela gosta de esfregar com vontade", comentou Andrea, "e quando começou a limpar o rejunte do *box*, toda a imundície do universo caiu da parede para dentro da banheira."

Anna começou a gritar: "Mãe, tem vermes saindo da parede!". Andrea correu para o banheiro e viu um monte de cupins se derramando da parede e se contorcendo na banheira.

Michael voltou para casa e tentou acalmar a esposa, mas sua tranquilidade não surtiu nenhum efeito nela. Andrea queria sair de casa imediatamente, mas ele não considerou aquela infestação um problema sério e esperava que ela percebesse que não era o fim do mundo.

Quando a calamidade sobrevém, pode ser difícil se lembrar de todas aquelas boas atitudes que devemos aplicar no casamento.

"Fiquei com ódio daquilo tudo", comentou ela, "e irritada com Michael por ele não agitar sua varinha mágica e fazer o problema desaparecer. Ele me deixou furiosa."

Quando a calamidade sobrevém, pode ser difícil se lembrar de todas aquelas boas atitudes que devemos aplicar no casamento.

Quão ruim foi a infestação? Posteriormente descobriram que há um estágio na vida do cupim chamado "forma alada" (também referido como "aleluias"), fase em que o cupim desenvolve asas. Andrea observou esse fenômeno bem de perto. "Quis ver o que estava atrás da parede, então peguei um martelo e quebrei o azulejo. Imediatamente saiu uma revoada de cupins por todo lado."

Apesar disso, prevaleceu o senso de humor mordaz de Michael. "Estou curioso para saber que gosto tem cupim frito", comentou. De acordo com Andrea: "Foi um momento decisivo. Não importa o que aconteça, Michael sempre leva tudo no bom humor, inclusive cupins. Começamos a rir, mesmo sabendo que tínhamos um problema enorme pela frente". De fato, tomaram um prejuízo de milhares de dólares e tiveram de rebaixar a casa à categoria de invendável. E, como se não bastasse, Andrea ficou doente com o veneno utilizado na dedetização. No entanto, todos sobreviveram. Às vezes o ciclo de medo e raiva pode ser quebrado por meio de uma boa risada.

Aquele episódio, porém, não foi a última ocorrência de estresse, medo e raiva na vida de Michael e Andrea. Alguns anos depois, sua filha Anna, já formada e casada, engravidou. Todo mundo ficou feliz, mas Anna enfrentou problemas ao longo da gestação e com frequência teve de ser hospitalizada. Certo dia, Michael e Andrea, em pé ao lado de Anna e do marido dela, ouviram a explicação do médico de que o líquido amniótico de Anna havia desaparecido. O ultrassom mostrava um menino perfeitamente formado, mas sem nenhuma chance de sobrevivência.

Anna passou por um parto induzido no dia seguinte. "Que coisa horrível", relembrou Andrea. "Todas as fotos de bebês foram retiradas das paredes do hospital, e na porta do quarto grudaram uma rosa amarela para que as enfermeiras soubessem o que estava acontecendo. Parecia que a tristeza e a dor jamais acabariam."

Anos depois Anna voltou a engravidar, mas outra vez a alegria deu lugar à dor. O problema anterior, hemorragia e perda de líquido amniótico, havia retornado. O novo bebê, outro menino, também não sobreviveria.

"Ela não pode passar por isso outra vez", pensou Andrea na época. "Fiquei com muita raiva", emendou.

Para Michael, o segundo aborto foi mais doloroso. "Parecia muita crueldade", comentou. Como se não bastasse, teve um acesso de raiva ao ouvir um médico dizer simplesmente: "Esse tipo de coisa acontece. E pode acontecer de novo".

Por quê?

Aceitar os acontecimentos da vida é um grande desafio para o ser humano. Bebês morrem e médicos passam a impressão de pessoas rudes; acidentes destroem famílias; o Alzheimer acaba com uma mente outrora brilhante; ao redor do mundo, crianças inocentes vivem presas a trabalho escravo e aterrorizadas pela violência. Por que Anna perdeu dois bebês? Por que, Senhor?

Muitos pensadores das grandes religiões tradicionais se debateram com a questão que vem atormentando a humanidade desde Jó. Por quê? Entretanto, mesmo de posse de uma teologia bem formada, ainda precisamos lidar com a reação humana à tristeza, à confusão e à raiva.

Casais que conseguem agir amorosamente, apesar do sofrimento, têm melhores condições de desfrutar as maravilhas da vida. Michael e Andrea receberam uma grande bênção em sua vida por meio de uma surpresa.

Certa noite, Andrea recebeu uma mensagem de Anna a respeito de um cirurgião que havia desenvolvido uma nova técnica para aumentar a chance de sobrevivência de bebês de mães com problemas semelhantes ao dela.

Em consulta ao cirurgião, Anna e o marido foram informados de que havia uma boa chance de finalmente se tornarem pais.

Anna passou pela cirurgia, mas os médicos que a acompanhavam regularmente não esperavam muita coisa, por não estarem familiarizados com o novo procedimento. Anna passou a gravidez inteira entrando e saindo do hospital e totalmente de repouso na casa dos pais.

"Fiquei muito preocupada", comentou Andrea, "mas oramos e mantivemos a esperança. Enquanto isso, li muitos testemunhos de mulheres que haviam conseguido dar à luz por causa dessa cirurgia."

Hoje Ruby, uma menina de dois quilos e meio que sorri o tempo todo, tem uma porção de seguidores no Facebook. Andrea atribuiu todo o crédito à oração: "Acredito que as orações de nossa igreja trouxeram Ruby à existência".

Ainda assim, Andrea e Michael atravessaram todo o período das perdas anteriores com muita raiva. "Eu tentava não ficar irado com Deus. Cheguei até mesmo a deixar de orar por algum tempo, pois não queria clamar a Deus enquanto outras pessoas enfrentavam coisas piores. Com tanto sofrimento no mundo, eu me perguntava: 'Por que não eu?'". A fé e o amor de Michael e Andrea um pelo outro os mantiveram unidos!

Quando os papéis mudam

O processo de envelhecimento leva o ser humano a se questionar a respeito de problemas futuros e de como lidar com eles. Casais que enfrentam problemas sérios de saúde e, mesmo assim, estão determinados a viver com propósito e coragem trazem-nos muita inspiração.

Victor e Betsey sofrem com o mal de Parkinson, que tem limitado a vida dele de maneira extremamente frustrante. É difícil para Betsey, que trabalha como cuidadora, e difícil para Victor, que perdeu as habilidades e a autoconfiança. "Parece que ela está sempre me dizendo o que fazer", comentou Victor.

"É coisa de homem", explicou ele a respeito de sua resistência e sentimento de perda nas ocasiões em que ela o ajuda a tomar os remédios. "Betsey põe em dúvida minha capacidade quando tira tarefas da minha mão."

Apesar disso, Victor sabe que ela tem de intervir para as coisas funcionarem, e Betsey sabe que isso exige paciência e amor de ambos.

"Você precisou encontrar um jeito para lidar comigo", elogiou ele.

"E você comigo!", respondeu ela.

Percebe-se claramente os benefícios de um casamento longo somado a uma história de respeito mútuo e troca, à medida que eles comentam sobre as dificuldades e a mudança de papéis. Em geral, o processo de envelhecimento não altera nossa essência, de modo que não podemos ser definidos por aquelas coisas que já não conseguimos realizar. Em vez de reclamar que Victor tem dificuldade para vestir o casaco, ambos se concentram naquilo que têm: filhos e netos maravilhosos, e um ao outro.

> *O processo de envelhecimento não altera nossa essência, de modo que não podemos ser definidos por aquelas coisas que já não conseguimos realizar.*

"Ter gratidão", comentou Betsey, "é uma atitude interior que muda tudo! Muda a forma como enxergamos o mal de Parkinson. Jamais nos questionamos, nem mesmo uma única vez: 'Por que nós?'. Tivemos todos esses anos juntos, e ele ainda é uma pessoa ativa e afetuosa. Somos parceiros, independentemente do que aconteça."

ATRAVESSANDO O FOGO

Carl e Lanette trabalham juntos em uma pequena loja de peças para caminhões. Certo dia, ouviram alguém gritar "fogo" em um apartamento no prédio vizinho à loja deles. "Estava saindo fumaça por uma janela", relembrou Carl. "Corri e bati em todas as portas, gritando para as pessoas saírem. Enquanto aguardávamos os bombeiros, jogamos lonas para proteger a loja de possíveis danos causados por água e retiramos todos os computadores."

A bomba do caminhão de bombeiros despejou milhares de litros d'água dentro do apartamento em chamas. Dois bombeiros entraram no apartamento e aguardaram o envio de mais água. "Há cinquenta anos recebemos um desconto em nosso seguro contra incêndio por estarmos localizados próximo a um hidrante", comentou Carl. "Mas estava totalmente seco! Não havia uma gota d'água. Eles correram para outro hidrante situado a algumas quadras dali, mas também estava seco."

Um terceiro hidrante trouxe um pouco de água, mas não o suficiente. Logo uma sirene foi tocada para sinalizar a saída dos bombeiros. Sete horas mais tarde, a maior parte do prédio havia sido destruída. Depois de décadas de esforço investido no negócio próprio, esse casal viu tudo se desfazer em fumaça.

É o tipo de situação que pode levar casais a desespero, recriminações ou, simplesmente, a encontrar um alvo para despejar o ódio. Entretanto, Carl e Lanette resistiram à sugestão de entrar com processo judicial. Também rejeitaram a tentação de se amargurar por causa de algum competidor que porventura se dispusesse a tirar vantagem da situação para roubar os clientes deles. Em vez disso, concentraram-se em agradecer a gentileza de todos que os ajudaram a manter o negócio em pé. Um cliente, sabendo da necessidade, enviou uma doação de quinhentos dólares para ajudar a repor o estoque; fornecedores estenderam os prazos. O melhor de tudo foi o telefonema de um grande concorrente: "Carl, sinto muito pelo incêndio. Para ajudar você a se levantar, vou mandar todos os dias um dos meus caminhões com todo tipo de peças que precisar para se manter no negócio".

Que presente! Que motivo para se sentir grato!

"Descobri que preciso de ajuda"

O incêndio, porém, não foi a única crise que esses dois enfrentaram. Carl sofreu uma fratura exposta e necessitou de três cirurgias. O acidente ocorreu enquanto participava da construção da casa do filho. Trabalhando na varanda, subiu uma escada para fixar uma telha. De repente, um morcego assustado saiu voando e o atingiu em cheio no rosto. Com o susto, Carl se desequilibrou, prendeu um dos pés em um vão da escada e caiu.

Deitado no chão molhado, olhou para o pé e viu dois pedaços de osso para fora. No mesmo instante, sentiu uma dor intensa.

Quando a ambulância chegou, os sinais vitais de Carl estavam perigosamente baixos. No hospital, fora atendido por uma equipe de seis pessoas, e foram necessárias duas placas de metal para restaurar seu pé.

"Que provação", comentou. "Foi difícil tirar aquilo tudo da cabeça. Na hora do acidente, Raquel, minha neta de 3 anos, estava comigo e ficou assustadíssima. Passaram-se vários meses até ela se aproximar novamente de mim."

Em vez de dizer:
"Você está errado",
aprendemos a falar:
"Você pode estar certo".

Carl enxergou a experiência como uma reviravolta. "Descobri que não sou autossuficiente, que às vezes preciso de ajuda. Aprendi a dizer: 'Se o Senhor quiser, viveremos e faremos isto ou aquilo' (Tg 4.15). Aprendi a ser grato pelo cuidado de Lanette para comigo."

"Todos passamos por esse tipo de coisa", acrescentou Lanette. "Simplesmente temos de permanecer fiéis e lidar com a situação."

Em um retiro para casais, falaram abertamente sobre suas dificuldades e Lanette ilustrou: "Descobrimos algo muito importante. Em vez de dizer: 'Você está errado', aprendemos a falar: 'Você pode estar certo'. Ninguém quer estar errado. Então, em várias ocasiões e circunstâncias temos dito: 'Você pode estar certo!'".

Carlos concluiu: "E muitas vezes tivemos de admitir: 'Você realmente *estava* certo'".

Os sete segredos da resiliência

Essas histórias verídicas nos levaram às seguintes conclusões:

1. Todos os casais enfrentarão dificuldades.
2. Quando o casal se concentra em resolver o problema em vez de ficar culpando um ao outro tem mais chances de encontrar a solução.
3. Não podemos mudar as circunstâncias, mas podemos mudar nossa atitude. A atitude positiva sempre vence.
4. Muitas vezes não compreendemos a razão dos acontecimentos. A questão não é "Por que isso aconteceu conosco?", mas "O que podemos aprender com essa experiência?".
5. Buscar Deus e entregar-lhe nosso sofrimento é sempre melhor que fugir dele.
6. Ouvir um ao outro é sempre melhor que gritar um com o outro.
7. Precisamos um do outro. Juntos enfrentaremos o problema.

E quanto a você?

1. Quais são os maiores desafios em seu casamento hoje?
2. No momento, esses desafios estão unindo ou separando vocês?

3. Em sua opinião, que mudanças são necessárias em seu casamento?
4. Estaria disposto a compartilhar essas ideias com seu cônjuge?

8

O adeus: encarando a perda

Pessoas na "segunda metade" da vida costumam estar bem familiarizadas com a perda: dizer adeus a um ente querido (incluindo os próprios filhos), a um lugar favorito, ao salário mensal, à energia e aos sonhos da juventude. Perdemos amigos, empregos e ideais. Essas perdas podem criar um vazio doloroso.

"Meu marido e eu perdemos nossas mães em um intervalo de apenas quatro meses", comentou uma esposa. "Havia uma semelhança sinistra nos dois casos: ambas eram viúvas de longa data; ambas sofriam de demência; ambas morreram de causas não determinadas: pneumonia, desidratação ou desnutrição. Simplesmente... desfaleceram.

"Aquele não foi um ano bom, mas não caímos em grande tristeza, pois sabíamos que, para elas, a morte havia sido um alívio bem-vindo. O que sentimos foi mais uma espécie de vazio, uma lacuna em nossa vida, que por sua vez gerou um sentimento de perda diferente, coisas sobre as quais geralmente não pensamos muito: a casa que nunca mais visitaremos, a lasanha que nunca mais degustaremos, a viagem que nunca mais faremos. Não era uma dor aguda, mas uma melancolia.

"Isso nos fez pensar em nossa necessidade de *acrescentar* coisas neste estágio da vida, e não apenas subtrair. Temos um ao outro, mas precisamos de uma vida mais completa. Por essa razão, começamos a procurar maneiras de servir aos outros."

"Estes são os melhores dias da minha vida": a reconciliação entre pai e filho

Cada pessoa experimenta a perda de maneira diferente. As coisas que afetam o casamento estão entrelaçadas a relacionamentos e experiências de uma vida inteira juntos. O que acontece nos dias finais pode abrir o coração e renovar o espírito de uma maneira inesperada. Pergunte a Ted e Linda, aquele casal que se mudou para um barco (capítulo 1).

Os pais de Ted se divorciaram depois de 52 anos de casamento. Ele e suas irmãs passaram muito mais tempo com a mãe medrosa que com o pai raivoso. Ted comenta que a mãe esperava que a família ficasse do lado dela e contra o pai.

"Um dia meu pai me deu uma bronca irada pelo telefone", comentou Ted. "Depois que terminou, pensei: 'Chega, acabou!'. Fiquei muito mal e passei três meses sem falar com ele. Por fim, mandei-lhe uma carta e ele me ligou em seguida. Foi a primeira vez *na vida* que o ouvi dizer: 'Me perdoe.'"

Ted estava com 51 anos e seu pai com 86 quando começaram a se reconciliar. Certo dia, seu pai foi visitá-lo e começou a reclamar com Linda a respeito de como a família o estava tratando e criticou Ted. "Ei, devagar aí!", cortou ela. "Deixa eu te explicar o que está acontecendo."

"Foi um momento de reviravolta", comentou Linda. "Ele ficou impressionado com o fato de uma mulher bater de frente com ele."

"... mas sem condená-lo", emendou Ted.

Em razão de o pai dele ter traído a mãe várias vezes, Ted compartilhou com Linda, no início do casamento, seu medo de cair no mesmo erro, mas ela lhe garantiu que isso não aconteceria. "Você não vai fazer isso. Você é fiel e somos uma equipe."
À medida que o pai avançava para seus 90 anos, o relacionamento deles melhorou. Ted sabia que o pai era um homem piedoso, pois havia começado um programa para auxiliar deficientes físicos. *Ele ajuda muita gente, mas ninguém o ajuda*, pensou Ted.
Com o passar do tempo, Ted desejava cada vez mais uma reconciliação definitiva entre eles.
Quando o pai de Ted estava já com 101 anos e vivendo em um lar de idosos, Ted e Linda foram visitá-lo e passaram alguns dias no apartamento dele. À noite, jogavam um colchão na sala para dormir, e muitas vezes Ted se deitava ao lado do pai na cama. Houve uma grande aproximação entre os dois. Certo dia, um funcionário do lar perguntou ao pai se gostaria de dormir em uma cama de hospital, mas ele respondeu: "Não, senão meu filho não vai poder dormir ao meu lado".
Ted percebeu, sentado com a irmã na beirada da cama ao lado do pai, uma sensação de reconciliação. E, para fechar com chave de ouro, o velho lhes disse: "Estes são os melhores dias da minha vida".
Algum tempo depois, Ted teve outra experiência, agora mais profunda. "Certo dia, sentei-me ao lado de meu pai e coloquei minha mão na cabeça dele. De repente, senti a mão dele na minha cabeça. Ele ficou assim um bom tempo antes de retirar a mão. Era sua mensagem de despedida para mim. Era a bênção que eu vinha buscando a vida inteira."

A SOLIDÃO DO LUTO

Em períodos de luto, muitos casais se agarram naturalmente um ao outro. Esse apego mútuo aprofunda o relacionamento.

No entanto, cada pessoa experimenta o luto de uma maneira diferente, e algumas vezes fica difícil enxergar qualquer coisa que não a própria dor. Em nossas entrevistas com casais que sofreram perda de entes queridos, percebemos que a maneira como a pessoa exprime tristeza pode produzir dor aguda e ressentimento. A morte de um filho ou de um genro/nora pode produzir confusão e isolamento até mesmo em casais maduros e compreensivos.

Um dos cônjuges pode paralisar de tristeza enquanto o outro tenta prosseguir normalmente. Um se debate com descrença e raiva de Deus, o outro tenta em desespero se apegar à fé. Em um piscar de olhos, um casamento feliz desaba violentamente.

A dor que percebemos nesses casais nos lembrou do poema "Home Burial" [Funeral caseiro], de Robert Frost. Nele o laureado poeta revela a batalha de um marido e uma esposa feridos e confusos. Frost escreveu com base em sua própria experiência: seu primogênito, Elliot, morreu aos 3 anos; mais tarde, Frost e a esposa perderam outras duas crianças. Eis um pequeno trecho do poema, no qual o marido descreve a pequena sepultura no quintal atrás da casa:

> "Tão pequena a janela emoldura o todo [...]
> Há três pedras de ardósia e uma de mármore [...]
> "Não, não, não", gritou ela.
> Retraiu-se, afastou-se dos braços dele [...]
> "Acaso não pode o homem falar do filho que perdeu?"
> "Você não!"

A esposa prossegue:

> "Se tivesse sentimentos, você que cavou
> Com as próprias *mãos* — como pôde? — a pequena sepultura;

Vi você da janelinha do nosso lar,
Fazendo o cascalho pular e girar,
Para o alto, assim e assim, e cair mansinho
Rolando pelo monte junto à cova.
Então pensei: Quem é aquele homem?
Não o reconheci."

Basta uma simples pesquisa *on-line* para encontrar o poema completo. Recomendamos sua leitura em razão do poder do luto, conforme revelou Frost, de transformar esposa e marido em estranhos um para o outro, mesmo para aqueles casais abençoados com um matrimônio estável.

Em uma convenção em Nashville, conversamos pela primeira vez com David e Nancy Guthrie a respeito do falecimento do filho deles. Esse casal compartilhou abertamente suas experiências e a cura espiritual que encontraram no livro de Jó. Depois de perderem outro filho mais tarde, passaram a ministrar a pais desolados.

Em seu livro *When Your Family's Lost a Loved One* [Quando a família perde um ente querido], David e Nancy apresentam exemplos de cônjuges que experimentam a dor de modo diferente um do outro e as coisas ruins que podem surgir desse processo. No caso deles, logo no início do luto leram a história de uma mãe desolada que se amargurou pelo fato de seu marido não ter demonstrado a mesma tristeza que ela sentia. Esse marido decidiu retornar ao trabalho depois da morte do filho. Sua aparente falta de tristeza criou um abismo conjugal. Mais tarde essa esposa descobriu que o marido, a caminho do trabalho, parava todos dias no acostamento e chorava. Ela percebeu, então, que ambos sofriam de maneira diferente. Essa história levou David e Nancy a entender que o modo como cada um processava a perda poderia acabar em afastamento.

Posteriormente, David escreveu: "Nos momentos mais dolorosos, Nancy parecia se encolher dentro de si mesma. Por ela sempre ter sido uma pessoa aberta, achei muito estranho e um pouco assustador. Fiquei inseguro e me afastei instintivamente, como se estivesse sendo repelido por ela. À noite ela muitas vezes se virava para mim, se enrolava feito uma bola e chorava. Se eu tentasse consolá-la, percebia que ela ficava tensa e se enrolava ainda mais, como um tatu-bola fechado em sua carapaça".

David comentou sua decisão de, em momentos como aquele, "permanecer ao lado dela, abraçá-la, manter a boca fechada e apenas ficar ali".

O antigo autor Joseph Bayly e sua esposa, Mary Lou, perderam, de maneira imprevisível, três filhos: um depois de uma cirurgia, outro de leucemia e outro em um acidente de trenó. Em seu livro ele escreve que, em momentos de luto, marido e esposa necessitam de mais amor, mas muitas vezes descobrem que o relacionamento "se encontra severamente abalado, até deteriorado". Bayly observa que cada cônjuge sofre de uma maneira diferente e descreve padrões comuns de afastamento: "sem mencionar a criança falecida; o colapso da intercomunicação; o sono como fuga da realidade; o afastamento mútuo para buscar outros amigos, especialmente novas amizades; envolvimento demasiado com eventos sociais ou atividades da igreja".

À noite ela muitas vezes se virava para mim, se enrolava feito uma bola e chorava.

Eis os conselhos de Joseph Bayly para casais enlutados:

"Esse é o momento de se aproximarem um do outro, de se preocuparem com a satisfação emocional e sexual um do outro, de se esforçarem para falar e ouvir um ao outro como se o casamento dependesse de tudo isso. E muitas vezes depende mesmo".

"ELES NÃO PODEM FAZER ISSO COM VOCÊ!"

Na segunda metade do casamento, nem toda perda está associada à morte de algum membro da família. Algumas vezes está associada à perda de um emprego, por exemplo. David é presidente de uma pequena empresa onde trabalha há 25 anos. No momento com 61 anos de idade, ele tem uma reunião em seu escritório com o CEO da corporação que controla sua companhia; durante a conversa, é informado de que seus serviços não são mais necessários e por isso deve deixar a empresa até o final da semana. David retorna para casa em estado de choque e comunica a Sarah, sua esposa, a notícia que jamais esperava ouvir. Furiosa, Sarah dispara uma metralhadora verbal contra o CEO e ao final, frustrada, emenda: "Que absurdo! Você vai aceitar isso? Temos que lutar pelo que é certo! Eles não podem fazer isso! Você precisa enfrentá-los!".

"É inútil brigar com eles", diz David. "Isso acontece o tempo todo. Além do mais, entrar com processo judicial nos custaria milhares de dólares. Não vale a pena." Ele sai do quarto se sentindo rejeitado pela esposa; Sarah se deita na cama e começa a chorar, ressentida com o marido e com a empresa.

David e Sarah atravessaram o choque inicial com muita amargura. Ele, atordoado; ela, enraivecida. A dor da perda não é uma emoção única. Na verdade, o que chamamos de perda (ou luto) é um pacote de sentimentos: choque, medo, raiva, ressentimento, frustração e várias outras emoções. Cada indivíduo sente emoções distintas em momentos diferentes, e a maneira como cada um reage a essas emoções também difere bastante. É por essa razão que a perda geralmente produz afastamento, isolamento e, algumas vezes, divórcio.

> A dor da perda não é uma emoção única. Na verdade, é um pacote de sentimentos.

Depois de muitas brigas, David e Sarah perceberam a necessidade de auxílio. Buscaram um conselheiro cristão, que os ajudou a compreender o processo da perda e que o modo como cada cônjuge reage não deveria ser motivo de divergências entre eles. "Sinto-me mais próxima de David hoje do que jamais estive", comentou Sarah. "Nosso casamento havia caído na monotonia. Fazíamos as mesmas coisas toda semana e sobrava pouco tempo para nos dedicarmos um ao outro. A perda do emprego de David me empurrou para fora da minha zona de conforto. Olhando para trás, percebo como fui injusta com ele, exigindo que corrigisse algo que não tinha conserto. Estou muito contente por termos decidido procurar aconselhamento. Nem quero pensar no que poderia ter acontecido se tivéssemos continuado brigando um com o outro."

David e Sarah ilustram a importância de buscar ajuda em momentos de perda. Pode ser conversando com um amigo de confiança, um pastor ou um conselheiro; o fato é que todas as pessoas precisam conversar com alguém ao longo do processo de perda.

Embora não exista nenhum programa estilo "cinco passos para lidar com a dor", a maioria das pessoas vivencia elementos em comum diante de uma perda importante na vida. O choque é a primeira resposta típica, e até pode ser útil por algum tempo, mas outras emoções serão expressas — ou ao menos deveriam. O ser humano é dotado de vias lacrimais por uma boa razão; e, sim, homens também precisam chorar. Depressão, solidão e isolamento são alguns sentimentos que surgem durante a perda, às vezes acompanhados de sintomas físicos como dor de cabeça e dor nas costas. A medicina admite que muitos sintomas físicos têm origem em estresse emocional.

Sentimento de culpa também pode acompanhar o processo de perda, caso o indivíduo comece a se recriminar pelo ocorrido. Conforme já observado, a raiva e o ressentimento são emoções bastante comuns. Afastar-se da rotina normal é outra reação típica da perda. O instrumento mais importante para processar a perda é dividir os pensamentos e os sentimentos com outra pessoa. Não significa que toda conversa deve se concentrar na perda, mas acreditamos firmemente que a perda tem de ser compartilhada. Aqueles que se dispõem a auxiliar pessoas em processo de perda precisam compreender que trazer o assunto à tona, seja a perda de um emprego, seja a morte de um ente querido, traz enorme benefício ao enlutado. Em essência, trata-se de comunicar a seguinte mensagem: "Eu me lembro; eu me importo".

"Coloquei algumas coisas em uma caixa e comecei a chorar"

Outra perda comum para casais na segunda metade do casamento é a mudança de lar. Bob e Kathy moraram na mesma cidade e participaram da mesma igreja por quarenta anos. Passaram praticamente todo o período de casamento nessa comunidade. Seus três filhos adultos foram viver em outras cidades. Com o surgimento de problemas de saúde, ambos começaram a conversar a respeito do futuro e compartilharam suas ideias com a filha; então, ela e o marido insistiram para que Bob e Kathy se mudassem para a cidade dela a fim de que pudessem cuidar deles. Depois de muita reflexão e oração, eles concordaram. Entretanto, à medida que a data da mudança se aproximava, começaram a sentir a dor da perda. "Coloquei algumas coisas em uma caixa e comecei a chorar", comentou Kathy. "Mais tarde, enchi outra caixa e chorei outra vez. Como é difícil deixar os amigos."

"É a coisa mais difícil que já fizemos, mas sabemos que é nossa melhor opção", disse Bob. "Encontramos muitas pessoas por lá e sei que Deus nos dará novos amigos. Somos muito gratos pela disposição de nossa filha e de seu marido em nos ajudar." Bob e Kathy estão enfrentando a perda de maneira positiva, dividindo-a com os amigos. Compreenderam que a perda daquele ambiente tão familiar, onde estão seus amigos, seria compensada pela sensação de segurança ao morarem perto da filha. Escolheram ser otimistas com relação às novas amizades e ao envolvimento com a nova igreja. A perda pode se transformar em ganho quando tratada de maneira saudável.

"Concentre-se nos passarinhos"

Retornemos ao sujeito mencionado no começo do capítulo, aquele que descobriu a necessidade de "acrescentar, e não subtrair" em seus vários momentos de perda. O "ganho" pode vir na forma de uma nova maneira de enxergar o mundo. Um marido descreveu desta maneira:

Em cada período de luto perguntávamos um ao outro: "Como posso ajudar?". Algumas vezes a resposta era simplesmente "Me abrace".

"Quando um passarinho é maior que uma montanha? Quando está pousado na beirada da janela e a montanha distante ao fundo. Tudo depende de como enxergamos. Precisamos nos concentrar nos passarinhos e na 'beleza' da vida, sem deixar que a sombra gelada da montanha nos afete".

Todas as pessoas experimentam perdas. Enfrentei (eu, Gary) a morte de meu pai, de minha mãe e de minha única irmã, de 58 anos. Karolyn também perdeu os pais e quatro irmãos. Em cada período de luto perguntávamos um ao outro: "Como posso ajudar?". Algumas vezes a resposta era simplesmente "Me abrace"; outras vezes, "Me deixe sozinha um pouco". Aprendemos a respeitar o desejo um do outro porque sabemos que a perda passa por muitas reviravoltas no caminho em direção à cura.

Dois é melhor que um

Hoje em dia, pessoas casadas há muito tempo e que ainda apreciam de verdade o casamento podem facilmente cair no sentimento de inadequação. Estatísticas atuais revelam que o número de casamentos tem diminuído bastante, que há mais pessoas morando juntas, que a geração do milênio nem pensa em se casar, e por aí vai. Parece que o casamento está se tornando tão antiquado quanto crochê ou encenações históricas — em outras palavras, nada mais que uma curiosidade restrita a um grupo seleto. A pessoa que acredita em um compromisso de amor para a vida toda pode se sentir como quem nada contra a correnteza do cinismo. Em um artigo *on-line* a respeito da impossibilidade de permanecer casado para sempre, um leitor comentou que o matrimônio tradicional "está tão morto quanto os carros da Gurgel. Os casamentos estão se esfacelando e caindo como mangas maduras". E acrescentou: "Não existe essa história de casamento para a vida toda".

Será o casamento apenas uma ilusão, algo de partir corações? Sim, mas somente para aqueles que enxergam o matrimônio como um conto de fadas em que o casal vive feliz para sempre em seu castelo encantado. O compromisso matrimonial é um chamado a uma aventura turbulenta que talvez, e apenas talvez, resulte em um final feliz. Fomos criados para viver essa aventura.

Andy e Phyllis, mencionados no capítulo 2, recebem uma salva de palmas quando informam a plateia que estão casados há quase quarenta anos. Jovens adultos anseiam por um casamento estável e longevo, e se animam quando veem marido e esposa curtindo um ao outro verdadeiramente. Talvez ainda haja esperança!

Líderes em muitas áreas têm declarado nossa necessidade desesperadora de exemplos de casamentos saudáveis, de uma consciência maior da importância do matrimônio e do grande benefício que pode nos trazer. De fato, há muitos bons exemplos ao redor, mas a mídia e a cultura em geral não prestam atenção a eles. São amigos, parentes, colegas de trabalho e irmãos da igreja, além de clientes, vizinhos e pessoas que nos prestam serviços.

Em outras palavras, todos nós.

Conforme comentamos no início deste livro, pessoas abençoadas com um casamento próspero e resiliente, rico em companheirismo, bom humor e, claro, bastante intimidade física, concordarão com Tiago 1.17 a respeito dessas dádivas divinas: "Toda boa dádiva e todo dom perfeito vêm do alto, descendo do Pai das luzes".

Ter um casamento bom é uma dádiva, uma graça, um presente não merecido. É algo que deve nos conduzir à humildade todos os dias.

Conversamos um bocado, neste livro, a respeito de provações e perdas e de como prosperar em momentos de dificuldade. Entretanto, como bem sabemos, há muito mais que provações no casamento (graças a Deus). Há a alegria de *desfrutar* o cônjuge todos os dias. Lembra-se daquela senhora que concordou em cuidar dos animais de estimação da filha? "Certa tarde quente de domingo", comentou ela, "depois de trabalhar e de ajudar nossos filhos adultos, me senti exausta e precisei de um descanso. Meu marido e eu levamos os passarinhos, o cachorro e o peixinho para o quintal e nos sentamos para ler o jornal de domingo. Li um artigo interessante sobre o engajamento de empresas de recrutamento para auxiliar igrejas a encontrar pastores. Conversamos sobre esse assunto e muitas outras coisas enquanto bebíamos água com limão, sem gelo, pois o congelador estava quebrado.

"Eis *uma* dentre muitas alegrias da segunda metade do casamento: momentos iguais a esse um após outro..."

É *isso* o que os cínicos estão perdendo.

"Nós nos sentimos amados"

Mais uma história.

As dádivas de um casamento longevo também incluem muitas pessoas (quando não um "elenco de milhares") queridas cuja vida se entrelaçou com a nossa ao longo dos anos. Jeanette e eu (Harold) passamos por essa experiência alguns anos atrás. Certa madrugada, nós e nossos três filhos mais jovens dormíamos profundamente quando começou a cair uma forte tempestade de raios. De repente, o alarme de incêndio disparou. A casa estava em chamas. Jeanette acordou e gritou para todos saírem de casa. Tirei rapidamente as crianças da cama e fomos para fora embaixo de chuva.

Logo, catorze carros de bombeiro lotaram nossa rua e dezenas de vizinhos saíram para nos fazer companhia enquanto nossa casa queimava. O que mais me chama a atenção ao relembrar aquela noite, e o ano seguinte, foram os incontáveis atos de bondade das pessoas:

- A companhia dos vizinhos naquela noite escura e chuvosa, trazendo-nos roupas e convidando-nos para ficar na casa deles.
- Um funcionário da prefeitura que compareceu antes do amanhecer para comunicar que os planos de reconstrução haviam sido aprovados.
- Pela manhã, amigos se oferecendo para suprir necessidades básicas como pasta e escovas de dentes.
- Vizinhos trazendo presentes para minha filha ao saberem que o incêndio ocorreu justamente no dia do aniversário dela.
- Pessoas da igreja se oferecendo para trazer refeições, limpar a entrada da casa e tomar nota dos bens destruídos para o recebimento do seguro. Colegas de trabalho aparecendo para ajudar no que fosse possível.

Sim, perdemos coisas valiosas naquele incêndio e tivemos de trabalhar bastante para voltar ao normal. Jeanette supervisionou a reconstrução da casa enquanto eu lidava com pilhas de papéis da seguradora. Também revezamos para cumprir os horários de escola das crianças. Apesar disso, a lembrança mais importante daquele ano agora é a ajuda que recebemos de muitas pessoas.

"Nós nos sentimos amados", resumiu Jeanette.

John e Cindy Trent
"Apoiem-se no fato de que Jesus controla nosso futuro"

O dr. John Trent provavelmente é mais conhecido como coautor, com Gary Smalley, do sucesso de vendas *A bênção*, e também como apresentador das personalidades o Leão, a Lontra, o Castor e o Cão de Caça no livro *Entenda melhor o seu temperamento*, também em coautoria com Smalley. Recentemente ele foi nomeado para a cátedra Gary D. Chapman para Casamento e Ministério Familiar e Terapêutico no Seminário Teológico Moody. Ele e sua esposa, Cindy, que leciona inglês como segunda língua para crianças de ensino fundamental e médio, moram em Scottsdale, Arizona. Estão casados há 36 anos e têm duas filhas adultas, Kari e Laura.

O que significa aventura para vocês?

Em nosso casamento, Cindy é quem planeja e organiza tudo. Pense em mim como Bilbo Bolseiro em *O Hobbit*, um cara feliz simplesmente por morar em um vilarejo e desfrutar sua casa no alto do monte, sem *jamais* sentir necessidade de aventura. Em outras palavras, percebi logo no início que saltar de asa-delta, descer de *snowboard* ou mergulhar para observar tubarões eram coisas que Cindy e eu provavelmente jamais faríamos para criar espírito de aventura em nosso casamento.

Na verdade, descobrimos que aventura não precisa ser sinônimo de risco de morte. Para manter o casamento saudável, basta a aventura diária de fazer pequenas coisas que nos retirem da zona de conforto. Por exemplo, começamos a frequentar uma academia bastante puxada (para nós) perto de casa, chamada Academia Efeito Laranja. Geralmente somos as pessoas mais velhas (*décadas* mais velhas) que frequentam o lugar e quase sempre perguntamos a nós mesmos: "Que raios estamos fazendo aqui?". Ao final, nos divertimos com o simples desafio de sobreviver a uma hora de malhação juntos.

Por morarmos em uma cidade grande, buscamos encontrar um restaurante diferente a cada duas semanas, em vez de frequentar os lugares de sempre. Além disso, depois que nossas filhas saíram de casa começamos a participar de uma igreja nova (sim, também somos as pessoas mais velhas ali) e montamos uma classe de estudo bíblico para casais, coisa que, com as meninas em casa, nunca sobrava tempo para realizar. Assim, nada de aventuras "extremas", mas assumimos o compromisso de procurar coisas novas, lugares e experiências diferentes, do tipo que "pessoas em nossa idade" geralmente não buscam. Queremos seguir esse caminho, mesmo que o volume da música em nossa igreja seja alto e haja pouca gente com cabelos grisalhos como os nossos.

O que consideram o maior desafio nessa etapa do casamento?
"Manter a proximidade com nossas filhas!", dissemos, quase ao mesmo tempo, quando lemos essa pergunta. Muita coisa mudou depois que Kari (a mais velha) e Laura (a mais nova) saíram de casa. Ambas passaram a se dedicar à carreira profissional e faz quase um ano que namoram (ambos os rapazes vieram nos visitar no último mês para ter aquela "conversa séria").

Criamos nossas meninas para buscar a própria vida, isto é, correr atrás dos próprios sonhos e trabalhar para servir ao Senhor e ao próximo. O problema, porém, é que levaram muito a sério! O desejo de "fazer a diferença" as levou a fazer trabalhos missionários em lugares perigosos ("Imagina, pai, não precisa se preocupar. Basta orar!") e, depois de terminados os estudos, a abrir negócios próprios em outras cidades (muito longe de onde moramos!). Também insistimos em que confiassem no Senhor, e não na indústria casamenteira — e muitas vezes pensamos se ao menos elas encontrariam tempo para namorar!

Vimos essas duas se transformarem em jovens maravilhosas, que amam o Senhor e não têm medo da vida. Como resultado, matricularam-se em escolas em outros estados e desenvolveram confiança e percepção suficientes para buscar suas profissões em outras cidades. Enfim, moram longe de nós! O desafio, portanto, é vencer a distância e manter firme nosso relacionamento com essas moças superocupadas, cada uma com sua agenda e seus desafios.

Vocês têm um estilo de vida interessante, um vaivém contínuo de casa para o trabalho, que aliás tem se tornado mais comum. Como lidaram com isso?
Embora a economia tenha forçado muitos casais a morar longe do trabalho, Cindy e eu tivemos de levar em conta esse

deslocamento durante o fortalecimento e a edificação do nosso casamento ao longo destes 35 anos. No início do ministério, comecei a receber propostas de palestras em vários lugares. Porém, agradeço a Deus por termos tomado, desde o começo, três decisões que impediram essas viagens de nos manter separados emocionalmente, ainda que longe fisicamente.

Primeiro, entreguei a Cindy o controle de minha agenda, o que significa que ela tinha poder de voto a respeito de quando e onde. Eu não podia marcar viagens que me impedissem de estar em casa para algum evento importante com ela ou com as crianças. Cindy tinha de me apoiar cem por cento ou eu ficava em casa. Apresentei muitas palestras em bases militares nos EUA e ao redor do mundo, por isso sei que muitos militares e funcionários não têm a mesma flexibilidade de dizer "não" a uma oferta que pode perturbar o ambiente familiar. Entretanto, a concordância dela com minhas viagens tem sido uma decisão que o Senhor com certeza tem honrado.

A segunda decisão que tomamos desde o início é que todas as viagens teriam um roteiro; isto é, antes de cada viagem eu mostrava a ela todos os lugares em que estaria em cada dia da semana. Dessa forma, minha ausência não seria uma incógnita, pois ela saberia exatamente pelo que e por quem orar enquanto eu estivesse fora. Com relação às crianças, entreguei-lhes um mapa do país e mostrei-lhes exatamente onde estaria em cada viagem e o que faria a cada dia.

Por fim, faço *muitas* ligações para casa quando viajo. Encontrei muitas pessoas que ficavam sem ligar para casa três ou quatro dias. Considero um absurdo; não há como construir um casamento sólido desse jeito. Nenhuma esposa se aborrecerá por receber no mínimo uma ligação por dia. Manter esse contato diário equivale a dizer: "Você é importante para mim, mesmo quando estou viajando!". Ausentar-se do relacionamento não ajuda a construir um bom relacionamento.

John, você assumiu a cátedra Chapman em um momento em que muitos dentre a geração pós-guerra estão contemplando a aposentadoria ou pelo menos não estão procurando um novo desafio profissional. Gostaríamos que comentasse alguma coisa a esse respeito.

Chuck Swindoll tem sido um amigo e mentor (à distância) por anos. Ouvi dele, e o vi pondo em prática, que atitude é tudo quando se trata de envelhecer. "Tenha essa atitude em si mesmo", diz ele. Trata-se de um mapa bíblico, acredito eu, para viver preparado em qualquer tempo e idade para o desafio de servir aos outros.

A honra de ser o primeiro a lecionar na cátedra Gary D. Chapman do Casamento e Ministério Familiar no Seminário Teológico Moody talvez seja a oportunidade mais divertida e desafiadora de minha vida. Apesar disso, nunca a enxerguei como uma coisa da idade. Ao contrário, considerei uma questão de atitude. "Dê-me, pois, a região montanhosa" (Js 14.12), disse Calebe a Josué. Em outras palavras, dê-me o território mais difícil de conquistar. A instituição familiar está sendo atacada de todos os lados, de uma maneira que poucos teriam imaginado décadas atrás. É uma honra pisar no campo de batalha e ensinar a próxima geração de pastores e conselheiros a permanecer firme ao lado do povo de Deus em dias desafiadores como estes. E não, não tingirei o cabelo nem mudarei meu estilo de roupa. O importante é servir de modo que o Senhor possa nos utilizar na posição em que nos colocou, em vez de ficarmos sentados, imaginando que somos velhos demais para isso.

Como aconselharia casais cujos filhos (a geração do milênio) parecem inseguros ou céticos a respeito do casamento? Como estimulá-los sem se envolver demasiadamente?

Muitos dentre a geração do milênio estão se casando (ou mesmo namorando) mais tarde e também se questionando se o casamento é uma opção viável hoje em dia. Não é fácil, para os pais, observar essa situação sem tentar empurrar os filhos para procurar alguém e começar a construir um casamento. Conversamos com nossas filhas a respeito da opção de procurar um rapaz *on-line* e sair com ele, caso se encaixe nas exigências delas e tome a iniciativa de convidá-las. Para a maioria dos pais, porém, empurrar os filhos para o casamento é como empurrar corda: não rende. Resta apenas orar e incentivar. Uma das melhores coisas que fizemos foi incentivar nossas filhas a perceber que a indústria do casamento cria um desejo constante por algo que não é benéfico para as pessoas. Por essa razão, incentivamos ambas a namorar e a considerar com carinho a questão do casamento, mas sem entrar forçadamente no matrimônio, uma vez que estamos falando de um relacionamento para a vida toda com alguém que ama e serve ao Senhor.

Como vocês lidam, psicológica e espiritualmente, com a ansiedade a respeito do futuro e o que recomendariam às pessoas que estão vivendo agora a segunda metade do casamento?

Cindy cresceu em um lar dominado por alcoolismo, inseguranças e tensões. Eu fui criado por uma mãe solteira em um lar desprovido de segurança financeira. Assim, ambos encontramos em Jesus nossa fonte de segurança para o futuro — mas ainda assim também tivemos de enfrentar, cada um a seu modo, a ansiedade com relação ao futuro. E não creio que estejamos sozinhos. Encontrei *muitos* casais preocupados com a saúde e as finanças neste mundo repleto de desafios e mudanças. Meu conselho para casais com a nossa idade, portanto, é o seguinte: apoiem-se no fato de que

Jesus controla nosso futuro. Cristo jamais nos abandona, nem na velhice, nem na doença, nem no encolhimento da conta bancária, nem na perda dos amigos, nem no empobrecimento, nem em situação de inadequação. Apeguem-se a versículos como Hebreus 13.5: "Deus [...] disse: 'Nunca o deixarei, nunca o abandonarei'". Embora o futuro pareça, ou esteja de fato, repleto de incertezas, jamais caminhamos sozinhos — nem mesmo por um instante.

A segunda maneira de lidar com a ansiedade, ao menos para mim, é perceber que a *ação* determina o sentimento, e não o contrário. A pessoa ansiosa não vencerá o estresse e o medo simplesmente esperando que seus sentimentos mudem! A AÇÃO DETERMINA O SENTIMENTO, ou seja, em vez de ficarem sentados, marido e mulher decidem planejar o orçamento, alimentar-se melhor, exercitar-se com mais frequência ou começar a servir ao Senhor. Nossas atitudes mudam nosso sentimento, o que nos leva à próxima questão.

De que maneira marido e esposa abençoam um ao outro?
Um versículo poderoso explica o significado de abençoar o cônjuge em qualquer idade e fase da vida. Em Deuteronômio 30.19, Deus desafia seu povo antes de pisarem pela primeira vez na terra prometida. "Hoje invoco os céus e a terra como testemunhas contra vocês, de que coloquei diante de vocês a vida e a morte, a bênção e a maldição. Agora escolham a vida, para que vocês e os seus filhos vivam".

Em minha opinião, basta uma rápida olhada nestas quatro palavras — vida, morte, bênção, maldição — para que casais de nossa idade (ou de qualquer idade) encontrem o caminho. Primeiro, devemos *escolher a vida*. Significa, obviamente, escolher em primeiro lugar a fonte da vida, Jesus! Ele é a Vida. Entretanto, aqui a palavra "vida" significa literalmente "mover-se em direção a algo ou alguém". Devemos, assim, em primeiro lugar nos mover em direção ao Senhor, e ele nos moverá em direção ao cônjuge e aos outros. Há, porém, a outra escolha: a morte, literalmente "afastar-se" de alguém. Contudo, o que fazemos quando nos "aproximamos" dos outros por meio da vida de Jesus em nós? Devemos abençoá-los, e não amaldiçoá-los. A palavra *bênção*, nas Escrituras, transmite duas imagens: "dobrar os joelhos" e "acrescentar peso e valor" (por exemplo, adicionar moedas a uma balança). Percebeu a relação entre as duas imagens? Em razão de a outra pessoa (o Senhor ou o cônjuge) ser tão valiosa em nossa vida, devemos *acrescentar* à vida delas! Fazemos isso por meio de contato físico, palavras e compromisso verdadeiro. Conforme ilustrou muito bem o dr. Chapman, devemos usar a *vida* que Deus nos deu para prosseguir no caminho e acrescentar aquelas cinco atitudes que correspondem à linguagem do amor do cônjuge. É o oposto de "amaldiçoar", que significa literalmente "represar o rio", ou seja, subtrair.

Portanto, escolher a vida e a bênção nos põe no caminho e nos mantém andando em direção ao cônjuge, sempre procurando maneiras de *acrescentar* à vida dele. Ao mesmo tempo, impede-nos de nos afastar do cônjuge, de ver o relacionamento deteriorar, de subtrair em vez de acrescentar as bênçãos que Deus deseja que adicionemos à vida dele.

Outras maneiras práticas de fazer isso podem ser consultadas em dois livros curtos de minha autoria: *30 Ways a Husband Can Bless His Wife* [30 maneiras de o marido abençoar sua esposa] e *30 Ways a Wife Can Bless Her Husband* [30 maneiras de a esposa abençoar seu marido].

Gary: uma palavra final

Harold e eu gostamos muito do processo de entrevistar e ouvir aqueles casais que compartilharam conosco sua vida na segunda metade do casamento. Quero terminar com um depoimento pessoal. Karolyn e eu estamos "casados e ainda apaixonados" há mais de cinco décadas, e temos compartilhado abertamente as dificuldades de nossos primeiros anos de casamento. Atravessamos dias ensolarados e maravilhosos, mas também chuvosos e sombrios. Houve dias em que pensei: "Casei-me com a pessoa errada. Não vai funcionar. Somos muito diferentes". Naquela época eu estudava para ser pastor no seminário, mas quanto mais a data da formatura se aproximava mais eu percebia que não teria condições de pregar mensagens de esperança sentindo-me tão infeliz em meu casamento.

Nunca esquecerei o dia em que disse a Deus: "Não sei mais o que fazer. Fiz tudo o que sabia e não melhorou nada". Mal terminei a oração e me veio à mente a imagem de Jesus ajoelhado, lavando os pés de seus discípulos. Em seguida, ouvi Deus dizer: "Esse é o problema em seu casamento. Você não tem a atitude de Cristo para com sua esposa". Senti-me como se uma tonelada de tijolos tivesse me atingido, pois me lembrei do que Jesus disse quando terminou de lavar os pés de seus discípulos: *Eu sou o Senhor, e no meu reino é assim que se lidera.*

Eu estava fazendo justamente o oposto, me comportando como quem diz: "Eu sei como é ter um bom casamento. Preste atenção em mim e chegaremos lá". Mas ela não me "ouvia" e comecei a culpá-la por nosso casamento medíocre. Naquele dia, porém, recebi uma mensagem diferente: "Eu sou o problema; eu não estou servindo como Cristo serviu".

Na mesma hora eu disse ao Senhor: "Perdoa-me, meu Deus. Tantas aulas de grego, hebraico e teologia e acabei perdendo de vista o mais importante". E acrescentei: "Por favor, concede-me a atitude de Cristo para com minha esposa". Em retrospectiva, foi a oração mais poderosa que fiz com relação ao meu casamento, pois Deus mudou minha atitude.

Três perguntas simples transformaram toda essa questão em algo muito prático para mim. Depois de fazê-las, meu casamento mudou radicalmente: 1) O que posso fazer para ajudar você? 2) Como posso tornar sua vida mais fácil? 3) Como posso ser um marido melhor para você? E Karolyn se dispôs a me responder. Isso foi muito antes de eu saber qualquer coisa a respeito das cinco linguagens do amor, mas ela começou a me ensinar essencialmente como amá-la por meio de minha disposição de servi-la. Houve uma mudança radical em nosso casamento à medida que fui trabalhando nas respostas a ela. Em três meses, ela também começou a me fazer as mesmas perguntas. Desde então, temos caminhado por essa estrada e hoje me relaciono com uma esposa incrível. Na verdade, há pouco tempo comentei com ela: "Se todas as mulheres fossem como você, nunca mais haveria divórcio no mundo". Por que um homem abandonaria uma mulher que faz tudo para o ajudar? Meu objetivo, ao longo destes anos, tem sido amar e servir minha esposa de tal maneira que, depois que eu partir, ela jamais encontre outro homem que a trate como eu. Ela vai sentir minha falta.

Acredito que a intenção de Deus com o casamento não é tornar infeliz a vida das pessoas. Deus instituiu o matrimônio em razão de ter criado homem e mulher um para o outro. Dois é melhor que um. O plano divino é que os cônjuges amem e sirvam um ao outro a fim de, como casal e individualmente, abençoarem o mundo com suas habilidades concedidas por Deus.

O Senhor utilizou a tristeza daquele período inicial para me conceder compaixão por aqueles que sofrem no casamento. Essas pessoas vêm ao meu escritório acreditando que seu casamento acabou, mas sou capaz de dizer com sinceridade: "Compreendo muito bem esse sentimento, então anime-se, pois tenho muita esperança a lhe oferecer".

Tenho visto milhares de casais descobrirem a essência de um casamento longevo e bem-sucedido. Se eu fosse tentar resumir, diria que há duas coisas essenciais: a primeira é que marido e esposa se amem e sirvam um ao outro de maneira a suprir suas necessidades emocionais de amor e intimidade; e a segunda, que lidem efetivamente com suas fraquezas por meio dos atos de perdoar e pedir perdão. Pedir perdão e perdoar são elementos essenciais, porque ninguém é perfeito. Em uma conferência, o palestrante perguntou: "Alguém aqui conhece um marido perfeito?". Um sujeito levantou a mão e disse em voz alta: "Sim, o primeiro marido da minha mulher". Em outras palavras, se houve algum marido perfeito, já morreu. E a maioria chegou à perfeição somente depois de morrer.

Não é necessário ser perfeito para ter um casamento longevo e saudável, mas é necessário lidar com nossas fraquezas por meio dos atos de perdoar e pedir perdão.

Mencionei anteriormente o dia em que nosso filho, ao retornar da faculdade, colocou a mão direita em meu ombro e a mão esquerda no ombro de Karolyn e, olhando em nossos olhos, disse: "Quero agradecer a vocês por permanecerem juntos. Sei que tiveram dias difíceis no início do casamento, mas sou muito grato por não terem desistido. Tenho amigos universitários que não retornarão para casa neste Natal porque os pais se divorciaram depois que entraram para a universidade. Agora não sabem com quem ficar, se com a mãe ou com o pai, e por isso decidiram ficar no *campus*". Choramos e nos abraçamos de alegria pelo fato de Deus não apenas nos ter mantido juntos, mas nos haver ajudado e abençoado com um relacionamento firme, amoroso e estimulante.

Desejamos que as histórias deste livro e os princípios que observamos na vida dos casais que permanecem "Casados e ainda curtindo" incentivem você a encarar as alegrias e desafios da segunda metade. Acreditamos, sinceramente, que esse período da vida pode ser melhor que o primeiro. Caso o livro o tenha ajudado, gostaríamos que compartilhasse com seus amigos e até mesmo pensasse em utilizá-lo como base para um grupo de estudo.

A melhor coisa que podemos fazer pelos casais das próximas gerações é fornecer a eles bons exemplos de marido e esposa que amam um ao outro, que vivem comprometidos profundamente com o bem-estar um do outro, que sabem lidar de maneira efetiva com suas fraquezas e que procuram honrar a Deus em tudo o que fazem. Esperamos que este livro ajude o leitor a fazer tudo isso, "até que a morte os separe".

Notas

[1] *The Adventure of Living* (Nova York: Harper & Row, 1967), p. 137.
[2] *Significant Living* (New Kensington, PA: Whitaker House, 2000), p. 15.
[3] Gary CHAPMAN, *Agora você está falando minha linguagem* (São Paulo: Mundo Cristão, 2008), p. 157-158.
[4] Para saber mais sobre o relacionamento dos pais com filhos adultos, ver Gary CHAPMAN e Ross CAMPBELL, *How to Really Love Your Adult Child* (Chicago: Northfield, 2011).
[5] George SWEETING, *Who Said That?* (Chicago: Moody, 1995), p. 250.
[6] Disponível em: <www.healthywomen.org/content/article/sex-after-50>. Acesso em: 5 de julho de 2016.
[7] Disponível em: <www.psychologytoday.com/blog/all-about-sex/201205/erection-changes-after-50>. Acesso em: 5 de julho de 2016.

Compartilhe suas impressões de leitura escrevendo para:
opiniao-do-leitor@mundocristao.com.br
Acesse nosso *site*: www.mundocristao.com.br

Equipe MC:	Daniel Faria (editor)
	Heda Lopes
	Natália Custódio
Diagramação:	Triall Editorial
Preparação:	Esther Alcântara
Revisão:	Josemar de Souza Pinto
Gráfica:	Imprensa da Fé
Fonte:	Constantia
Papel:	Pólen Soft 70 g/m² (miolo)
	Cartão 250 g/m² (capa)